國民小學圖書館規劃與設計

蘇國榮著

臺灣 學七書局 印行

林　序

　　教育改革為世界的趨勢，教學法的更新更是教改的重心，啟發、實作、討論、蒐集、觀察、實驗取代傳統的講述、灌輸與背誦，成為教學的重要活動，圖書館頓成不可或缺的教學資源媒體中心——教師的教學資源準備庫；學生的學習資源中心；也是家長的輔導學習中心。因此，完善的圖書館規劃與經營，是每一所國民小學不可或缺的一環。

　　本校初等教育學系蘇教授以其多年的教學、研究及實務經驗，收集很多相關的資料，參觀無數的優良圖書館，融入人性化的考量原則，以其獨到的見解，圖文並茂的以淺顯親切的方式闡述小學圖書館的規劃與設計。從規劃委員會的成立，圖書館內各區的設置，傢俱與設備的陳設，景觀與人力資源的規劃，都有詳盡的介紹，這是一本兼具可讀性與實用性的書籍，非常值得閱讀與參考。

　　時值此書出版在即，爰綴數語以茲祝賀，期勉對國民教育之提昇，有所助益。

國立花蓮師範學院校長　林煥祥　九十三年九月二日

自 序

　　民國五十七年教育部令訂頒，七十年一月修訂頒佈「修訂國民
小學設備標準」中「國民小學圖書設備標準」規定「國民學校不論
規模大小，班級多寡，均應設置圖書室或館」及「各校應由校長指
派『圖書教師』一人處理館務。班級較多之學校，酌增『圖書教師』
若干人，協同處理館務」，這是政府遷台以來首見政府公文書中重
視國民小學圖書館的文獻。

　　本省自光復以來，經政府自大陸播遷來台，深感教育對國家建
設之重要，乃戮力奮發於教育之普及與深耕，使國民教育之普及群
冠東亞，但是過去因惡性補習與升學主義所困，國民小學圖書館不
為重視。

　　民國七十二年八月台北市教育局在國民教育輔導團內正式成立
國小圖書館輔導小組，成員以現職之教師、組長、主任、校長且習
圖書館學者擔任，並請師院圖書館長親臨輔導，教育局督學室派員
督導，每週排定日程前往各國小進行圖書館業務與圖書館利用教學
之輔導。台北市立圖書館也派研究員一人參與輔導工作，同時推展
市圖之兒童閱讀及推廣服務，頓時，台北市之國民小學圖書館與市
圖之兒童室蓬勃發展，而執學校圖書館之牛耳。

民國八十四年八月起先後在天津、台北、武漢、花蓮、廈門等地舉行數次「海峽兩岸兒童及中小學圖書館學術研討會」，從「國民小學有圖書館嗎?」到數百人參與的大型學術研討會，因而激起海峽兩岸兒童及中小學圖書館學界的重視，也引起教育行政機關的注意。

圖書館法於民國九十年一月十七日總統以華總一義字第九○○○○○九三二○號令公佈後，國家圖書館受教育部委託，積極召集圖書館學、法學、行政、教學等各界學者與專家，歷經百餘場次的研商、討論與公聽會，而制定「國民小學圖書館設立及營運基準」及「國民中學圖書館設立及營運基準」，於民國九十一年十月三十日經教育部正式公布，並於同年十一月一日生效，國民小學圖書館的經營法源更趨於完善。

「知識經濟」的誕生，影響了整個圖書館的經營管理，從服務層面的擴張，而使資料量的急速增長，線上目錄與全文檢索的運用，網際網路的昌明，館員服務量的負荷與館舍空間的不敷，以及館員繼續教育與新知技能之充實，再因景氣低迷導致預算之緊縮或削減，讀者素質已因教育之普及而提升，其要求幾近苛責，為滿足其「快速」、「精準」與 「確實」的需要，維持高水準的服務品質，迫使經營者必以積極的態度來面對，因此，圖書館經營的規劃就在這「變」局中竄升為重要地位。

筆者雖自民國六十一年起正式投身於國民小學圖書館教育事業，受到圖書館界前輩與先進之教誨與助益，受益良多，諸如參與「台北市教育局在國民教育輔導團國小圖書館輔導小組」之創立及運作，參與「圖書館法」之制定及「國民小學圖書館設立及營運基

準」之草擬與制訂，先後於天津、台北、武漢、花蓮、廈門等參加「海峽兩岸兒童及中小學圖書館學術研討會」，深知國民小學圖書館之經營運作首重「設計規劃」，因而以野人獻曝之心、投石問路之情提出粗淺之構想，求教於先進。

　　本書依序分章敘述為：第一章緒論，說明國民小學圖書館設計規劃之重要及相關文獻之探討。第二章館舍規劃，就規劃委員會及規劃原理加以敘述，並將館舍位置選擇與室內空間配置等詳加說明。第三章家具與設備之規劃，舉凡閱覽桌椅、書架期刊架、電腦卡座視聽器材之配置、影印及飲水設施、景觀及指標等之規劃設計分別加以敘述。第四章館藏規劃，針對館藏資源之選擇、典藏與評鑑予以闡述。第五章人力資源的規劃，專論國民小學圖書館的組織、人員，對於志工之培育與圖書館社團亦有充分之討論。第六章結論，就目前國民小學更新校園之際，對於圖書館之建築規劃提出若干建議，俾教育行政機構施政之參考。

　　本書之所以能殺青，首先要感謝台灣師大王振鵠教授、林孟真教授、郭麗玲教授，台灣大學胡述兆教授、鄭雪玫教授、盧秀菊教授等給予敦促、指導與鼓勵，以及花師圖書館工作同仁的協助，方得以順利進行；花蓮師院校長林煥祥教授更於百忙中賜序；獎飾有嘉，益增光寵，特此一併誌謝。

　　筆者陋居後山僻壤，交通音訊阻隔，在此科技昌明、資訊爆炸之際，恐因時空兩隔，錯失音訊，導致閉門造車而挂一漏萬之失，敬祈先進賢達，惠賜斧正與點津，以臻完美，將銘諸五內，倘有再版之期，當予匡正。

　　　　　　　　蘇國榮　謹識　民國九十三年孟夏於花師敬業樓

國民小學圖書館規劃與設計

目　次

圖表目次

第一章　緒　論

第一節　導　言

　　民國三十八年政府播遷來台到現在五十餘年，圖書館界與教育行政機構對圖書館的發展，投入相當的心血與力量，不論館舍的建築或是資料的保存，以及各項服務，均名聞遐邇。但是，對於為數眾多，普及面最廣的國民小學圖書館，卻少有關心，甚至連最起碼的人員編制都未曾見於過去的「組織編制表」上，而經費預算亦未能見諸「預算書」中，其情形之悲慘可見一斑。

　　自從「圖書館法」經立法院三讀於民國九十年一月十七日總統以華總一義字第九○○○○九三二○號令❶公佈後，國家圖書館受教育部委託，積極召集圖書館學、法學、行政、教學等各界學者與專家，歷經百餘場次的研商、討論與公聽會，而制定各類型「圖

---

❶　圖書館法於中華民國九十年一月十七日總統府以華總一義字第九○○○○○九三二號公佈。其詳細內容見國家圖書館單一窗口網站 http://www.ncl.edu.tw/bbs/libregulation.htm

書館設立及營運基準」，以期圖書館的經營法源更趨於完善，其中「國民小學圖書館設立及營運基準」及「國民中學圖書館設立及營運基準」首先在民國九十一年十月三十日經教育部正式公布，並於同年十一月一日生效。❷從此，國民中小學圖書館的經營有所依據與依循的準則，國民中小學圖書館教育也邁前一大步。

在「國民小學圖書館設立及營運基準」中明白規定「公、私立國民小學應依本法第四條及相關法令規定設立」❸，因此，不論公、私立國民小學都「應」設立圖書館，這與民國七十年公布的「國民小學圖書設備標準」中「國民小學不論其規模大小，班級多寡，均應設置圖書室或圖書館」❹不謀而合。由此可見圖書館在國民小學的重要性。

在中華民國圖書館事業白皮書❺中明白揭示中小學圖書館以中小學師生為主要服務對象，供應教學及學習媒體資源，實施圖書館利用教育，以發展下列目標：

　㈠配合教學需求，成為學習資源中心。

　㈡建立並健全中小學的法定組織地位，發揮其應有功能。

　㈢實施圖書館教育，以奠定學生自學基礎，培養其利用圖書資

---

❷　教育部於民國九十一年十月三十日以台（九一）國字第九一一三六五三二號令公布。詳 http://mail.nhltc.edu.tw/~su/lib/lib3.doc（即本人網站圖書館學欄內）見圖1公文影本。

❸　同❷第四條。

❹　教育部國民教育司編，國民小學設備標準，（台北市，正中書局，民77，頁85-106）第一條第一款。

❺　中國圖書館學會圖書館事業發展白皮書小組研訂，圖書館事業發展白皮書，（台北，中國圖書館學會，民89.04，頁8）。

源的能力。

㈣配合終生學習政策，服務民眾。

㈤運用資訊網路結合館外資源，支援教學活動。

雖然我們都知道中小學圖書館的功能在配合教學與輔助學習，圖書館不但成為各類型學習資料的蒐集中心，也是教學支援中心，師生的資源中心，對協助教師準備多元化教材，發展創造啓發式課程計劃，培養學生自動自發的學習精神，以激發學生的閱讀與學習興趣，深具作用與影響力。

近五十年來，不可諱言的，不論是圖書館學界或是教育部門，對於大學圖書館及縣市級以上公共圖書館的館舍建築與經營，投入相當的心血與預算，尤其是近年來各大學圖書館的建築，不論更新、改建或新建，都以嶄新、巍峨的面貌呈現，令人神怡、欽羨。

為數最多，普及面最廣，讀者數最眾，影響國家民族與社會最深的兒童及國民中小學圖書館，卻少有被關懷的痕跡，筆者以為，這些成人使用的「大」圖書館業已建的差不多了，數量龐大的「國民小學圖書館」建築即將如雨後春筍般建設，筆者擬以拋磚引玉之心，就國民小學圖書館空間的規劃設計提出管見，企盼「細微砂粒」投之「大池」，所引「漣漪」能擴及池面，對國民小學圖書館教育事業提供綿薄之助力。

第二節　圖書館規劃

一、國民小學圖書館與兒童圖書館的逐漸受重視

　　早在民國六十年（1971-9）代，個人服務於國民小學，正好接受圖書館的行政業務，因編目問題走訪當時的中央圖書館（現在國家圖書館的前身）編目室，該館編目人員用驚訝的語氣說：「國民小學有圖書館嗎?」連專業的圖書館員都會有如此的疑問，國民小學圖書館在人們心中的地位可想而知了。

　　民國六十九（1980）年起，個人與一批國小的老師、組長、主任、校長們到台灣師大進修❻，我們選擇的是圖書館教育，也因此，整個國小圖書館的命運就在我們這批人的手中扭轉過來，因為我們從教授們那裡獲取「圖書館學」的知能，了解到圖書館利用對教育的重要性，從自身的學習進而教導學生、推廣全校、呼籲組織圖書館輔導團❼，進行輔導經營與推廣教育工作，從自己服務的學校開始，擴及鄰校，而整個台北市，再廣及鄰近縣市❽，更擴及國中❾，

---

❻　國立台灣師範大學社會教育學系於民國六十九年秋首次以在職進修教師為對象招收現職國中小高中教師及教育行政人員，共錄取四十三人，全部以圖書館教育為主修。

❼　蘇國榮，「台北市國民教育輔導團國小圖書館輔導小組簡介」，中國圖書館學會會報第36期，頁21-27. 73.12.。

❽　台北市國民教育輔導團國小圖書館輔導小組自民國七十二年成立起，足跡遍及台北市每一行政區各學校，更受邀跨過淡水河至台北縣、桃園縣、苗栗縣，翻過中央山脈到花蓮縣，他們從圖書館的技術服務到讀者服務，經營管理到工具書指導的教學，無論巨細，均以深入淺出的示範與輔導，所到之處普受國小校長教師之歡迎。

而影響高中圖書館。

在民國八十四年（1995）起先後舉行數次「海峽兩岸兒童及中小學圖書館學術研討會」❿，從「國民小學有圖書館嗎?」到數百人參與的國際性學術研討會⓫，正如天津少兒圖書館前館長寧國譽先生在首次研討會結束祝詞中所說：「通過這次的會議，海峽兩岸同行在圖書館界數量和從業人員最多的領域，完成了溝通與初步接觸的歷史任務，同時對各自文化教育事業的發展，培養跨世紀人才的大業，都具有十分重要的意義」，雖然過程是如此艱辛難行，大家還是一步一步循者足跡走了過來。

由於整個世界資訊快速的成長與變革，教師學生家長們也因這一變革產生無比的壓力，教育部更推行九年一貫新課程方案，在七大領域中培育十項基本能力⓬，因此圖書館利用與資訊教育倍感重要，圖書館在國民小學的份量自然而然的加重了。

---

❾　由於台北市國民教育輔導團國小圖書館輔導小組對台北市國小圖書館努力的成效卓著，次年（民七十三年）台北市國民教育輔導團國中圖書館輔導小組就成立了。

❿　由台北市國小圖書館輔導團及中國圖書館學會兒童福利委員會為主體組團先後於民國八十四年、八十五年、八十七年、九十年及九十一年分別在大陸天津少兒圖書館、台北市立圖書館、大陸武漢少兒圖書館、花蓮師院圖書館及福建廈門事少兒圖書館舉行「海峽兩岸兒童及中小學圖書館學術研討會」，以喚起海峽兩岸政府與人民對兒童及中小學圖書館的注意，也獲得熱烈的迴響。

⓫　民國八十五、九十年在台北、花蓮舉行的「海峽兩岸兒童及中小學圖書館學術研討會」，與會人數均兩百餘人。

⓬　教育部89.9.30台（89）國字第89122368號令公布，國民中小學九年一貫課程暫行綱要，教育部印製，頁7-8 民90。

二、建築規劃的觀念逐漸受重視

　　國小圖書館是國民小學的一部份，因此，國小校舍建築與國小圖書館的建築關係是密不可分的，翻開台灣國民小學的校園建築史，從日據時代起至光復後的民國五十年代、六十年代而七十年代，大多的建築爲一條龍的「一」字形，班級數增加了就變成「L」字形，而「U」字形，更多時便成了「口」字形，談不上規劃兩個字❸，只能說銜接下去，沒地就轉個彎而已。也許早期師資培育養成階段就沒有這項課程，培育出來的師資擔任行政職務時又沒有「在職進修」以充實這項知能。

　　民國六十年（1971-9）代，政治大學教育系蔡保田教授首先開授學校建築課程，這是師資培育機構首先有此課程，因此，學校建築規劃開始萌芽，至民國八十年代宜蘭縣政府教育局正式與「台灣大學建築與城鄉研究所」、「淡江大學建築研究所」等學術單位合作成立「國民中小學校舍興建委員會」，從事學校建築規劃與設計事宜，漸漸地，學校圖書館的位置在學校建築中受到了重視，圖書館學者也參與了學校建築的一環，這就是近年來國民中小學圖書館會受到重視的原因之一。

三、圖書館規劃逐漸起步

　　由於近代「管理科學」的興起，發展出各種管理技術而擴大其範疇，在工商與行政體系中逐漸發展成整體作業的模式，以規劃與

---

❸　蘇國榮，「國民小學校園規劃工程」，國教園地，　第47期，頁15-25，民82.10。

組織的管理功能，透過人力、設備、技術、資金的運用，歷經決策與控制之後的生產與行銷，已達初始設定的目標。因此，規劃就非常的重要了。

「知識經濟」的誕生，影響了整個圖書館的經營管理，從服務層面的擴張，而使資料量的急速增長，線上目錄與全文檢索的運用，網際網路的昌明，館員服務量的負荷與館舍空間的不敷，以及館員繼續教育與新知技能之充實，再因景氣低迷導致預算之緊縮或削減，讀者素質已因教育之普及而提昇，其要求幾近苛責，爲滿足其「快速」、「精準」與「確實」的需要，維持高水準的服務品質，迫使經營者必以積極的態度來面對，因此，圖書館經營的規劃就在這「變」局中竄升爲重要地位。

圖書館規劃在行政管理上之被重視，於是掀了一陣圖書館改建風潮，至少在大學圖書館紛紛改建或計劃改建中，國民小學圖書館則在一些百年、五十年的年老校園更新計劃中列入重要思維重點，因爲學校行政人員已經感到圖書館在校園的重要了。

四、圖書館環境規劃逐漸抬頭

胡思聰、曹麗珍賢伉儷在台北市立師範學院所舉行的國小圖書館學術研討會（1996.05.10）中以「國民小學圖書館環境管理」，共同提出國小圖書館環境管理必須注意而尚未注意的一些環境因素問題，其中關於館舍的採光與照明、通風與換氣、溫度與溼度及懸浮微粒與生物性氣膠等問題提出詳細解析及改善方法問題[14]，喚醒圖

---

[14] 曹麗珍、胡思聰，「國民小學圖書館環境管理」，台北市立師範學院國小圖書館學術研討會論文集，（台北市，台北市立師院，民85）頁1-19

書館界對國民小學圖書館建築的重視。林勇先生在其<u>兒童圖書館家具及設備之研究</u>❶一書中談到：㈠國小圖書館面積不足200m²的佔70%❶，甚至僅有 8m²者。至於家具方面更困於經費，因陋就簡，基本的硬體設備迫使功能不彰❶。因而呼籲不論「新建」或「改建」校舍時，圖書館的建築規劃必需列入校園規劃中，以發揮其應有的功能。

五、綠建築觀念應用於圖書館建築

所謂「綠建築」並非漆上綠顏色或建築物內充滿綠色植物的建築物，而是內政部建築研究所為鼓勵興建省能源、省資源、低污染之綠建築，建立舒適、健康、環保之居住環境，發展以「舒適性」、「自然調和健康」、「環保」等三大設計理念，並且符合基地綠化指標；基地保水指標；水資源指標；日常節能指標；二氧化碳減量指標；廢棄物減量指標；污水；垃圾改善指標；生物多樣性指標與室內環境指標等九大指標達於「生態」、「節能」、「減廢」、「健康」的建築物。因此，輔仁大學圖書資訊學系的葉仲超在他的碩士文「綠建築觀念在圖書館之應用」❶特別強調：「圖書館內外部環境規劃的良窳對於圖書館從業人員與使用者具有直接的影響。綠建

---

❶　林勇，<u>兒童圖書館家具及設備之研究</u>，（台北市，中國工業職業教育學會，民79）。

❶　同註❶，頁330。

❶　同註❶，頁331。

❶　葉仲超，<u>綠建築觀念在圖書館之應用</u>，輔仁大學圖書資訊學系，90學年度碩士論文，指導教授蘇諼，民91。

築的觀念並非僅在建築環境上植栽綠化而已，而是從環保的角度出發，以人類健康為基礎，追求生活環境的建築設計」。因此，在規劃設計之初就先行注意有關生態保育、節約能源、垃圾減量與廢物利用問題。

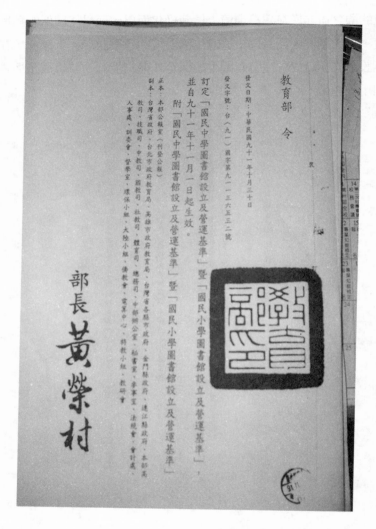

圖1　教育部頒「國民小學圖書館設立及營運基準」與「國民中學圖
　　　書館設立及營運基準」之公文影本。

第二章 館舍規劃

　　國小圖書館的服務已由過去的消極等待而變為現在的積極推介，並已直接參與各個學生的培養和發展工作，在現代學校教育計劃中，小學圖書館的工作，實際上已超過以往支援教學的服務機構，館員在積極的服務方面已有下列功能：

　　㈠圖書資料的諮詢者。

　　㈡休閒生活的鼓勵者。

　　㈢訓練學生利用圖書館及一切資料的能力。

　　㈣指導學生作休閒與求知的閱讀活動。

　　㈤啓發各個人的天才、興趣與靈感。

　　㈥協助教師推行教學計劃。

　　㈦輔助教師在職進修。

　　因此，為了達成上項功能，圖書館必需蒐集各種圖書資料器材，且越多越好，這些資料器材的廣泛使用，形成保管、置放、分配、使用與指導的問題，如何有效的規劃設計對圖書館的運作與功能的發揮影響至深且巨。

第一節　規劃委員會的成立

　　學校圖書館的建築設計最好在建校藍圖中即已勾畫出來，而為全校建築的一部份，這樣才不會顯得突兀而不協調，至於正式建造時必需聘請相關人員組成委員會，以大家的智慧結晶，共同完成萬千學子所繫的巨構。

　　學校的校長、圖書館主任、總務主任為當然委員，此外，建築師、圖書館學者、教育學家及美術教師都應延聘，會計人員、鄰近公共圖書館館長和家長委員也聘為顧問，因為：

（一）校長為一校之尊，肩負施政成敗之責，缺他不可。

（二）圖書館主任為實際運作的人，他必需提供館內運作實務與瞭解整體設計過程之關係，以便來日處理館務之需。

（三）總務主任將來施工的負責人，對於工程品質與安全極應瞭解，以為執行工作之依據。

（四）建築師為負責館舍結構安全的設計者，圖書館主任與圖書館學專家把圖書館運作所需空間，與整座館舍圖書資料與讀者運動之動線，詳細告知建築師，他再以其建築的專業去設計調配，以期最理想的境界。

（五）圖書館學者對於整個圖書館的運作最為清楚，讀者與館員的運作，資料的儲存與流動，各項器械的安排，都需圖書館學者的協助，因為圖書館主任可能經驗尚不足，甚至許多學校的代圖書館主任未受圖書館學專業訓練，這方面的瞭解較欠缺，需圖書館學者的幫忙。

(六)教育學家在於室內設計如何配合教育理論，因為國民小學圖書館也是一個教學的場所，館內各項設施都不能違背教育學的原理原則，以發揮教育功能。

(七)美術教師對於「藝術」的涵養較高，館舍的外貌及館內館外的配色傢俱的顏色都需美術教師的協助。

(八)會計人員掌管審計業務，一切經費的編列與預算的執行都需合法，唯有會計人員之參與，方不致有誤。❶

(九)鄰近公共圖書館館長可能有較豐富的建館經驗，也是最佳的諮詢人選。

(十)家長委員是學校出錢出力的大幫手，直接受惠的也是他的子弟，也應讓他有所參與。

(土)學生、教師、家長或社區代表，他們是真正使用者，由於他們的存在，才需要這個圖書館，因此，有了他們的參與，提供他們的需求，讓我們的服務品質得以提昇。

　　從上列說明可知圖書館的建築完成，絕非一人的智慧所能擔負，而是集圖書館學、教育學、藝術家與建築師等通力合作完成的巨構，否則該館必有許多可議之處，甚至形成使用上之困難，屆時再行變更設計，挖鑿改修，浪費經費與資源，影響與延誤使用時機，造成莫大之損失。

---

❶　國民小學是屬於國家機構，一切經費支出都需依據會計程序，而會計人員對會計制度與法令較為詳熟，且各校均配有會計人員。

第二節　規劃原理

　　過去在建築設計規劃上崇尚「對稱」、「審美」、「強度」與「穩定」，將建築視爲高度「藝術」，蓋因受天然建築材料所限也，今日科技日進，建築材料已有長足之進步，昔日僅有磚石木材，而今有鋼筋（或鋼骨）混凝土，對「大跨度（大空間）」之設計是一巨大之突破。

一、大空間設計

　　所謂「大空間」（One Room）❷觀念是建築界喜歡的用語，意思是盡可能捨棄「隔牆」，換句話說，在一大建築物中，減少「實牆隔間」，以傢俱或根本就沒有任何隔間，甚至連柱子也盡量減少，最好連柱子都不出現於房間中，在開架式的圖書館裡，「讀者」與「資料」接觸頻率日增，搜尋查檢資料日切，沒有了隔牆，非但開闊視野，使身心開朗，而且減少許多因隔間所造成的冤枉路，同時也可以因資料成長或傢俱增添而隨時改變格局或排列，不受任何影響，以彈性利用空間。這種觀念首先由美國麥克德耐特（Angus Macdonald）與蓋茲（Alfred Githeus）兩位博士提出，於1953年在美國愛德華大學圖書館付諸試驗，而於1955年落成，他們的構想是：

---

❷　　大空間：原文 one room，有譯爲「通間」（見台大圖書館林光美代館長，「從圖書館永續經營觀點探討圖書館建築課題之經驗與傳承」，<u>1999海峽兩岸圖書館建築研討會論文集</u>。台北縣淡水，教育資料與圖書館學季刊社，民88，頁25。）

㈠圖書館的每一層空間，除盥洗室、電梯間及特殊用途房間外，就是空無一物，仿如一個大房間。

㈡每層均可依不同的需要而予設計安排傢俱的陳列與調整，而不受建築之干擾。

㈢館內各項活動可不固定一處，彈性設計❸。

以目前來說，大空間設計的建築，有下列幾種：⑴「無樑板」（Rober Maillart）設計也稱「平板」（Flat Slab），⑵「擱柵樓板」（Joist Slab）又稱「小樑樓板」，⑶「中空樓板」設計（Hollow Slba）。

今將個人採用「中空樓板」設計的經驗特別說明如下：即將旋楞鋼管（Screwpipe）平行排列，沿「管向」配置「主筋」，再於「橫向」配置「補助鋼筋」使其連結一體，兩鋼管間主筋通過之混泥凝土部份即形成「工」字樑（Ｉ-Beam），因此，中空樓板可視爲依管排列之「工」字樑集合體（詳圖2），由材力可知工字型斷面爲一種良好之撓曲構材斷面，甚合力學觀點。其優點如下：

㈠用旋楞鋼管爲襯管，置於水泥中形成中空，減輕樓板重量，俗稱呆重。

㈡樓板身兼小樑作用，增建物淨高，節省建築費用。

㈢大跨度，無樑柱，可任意調整隔間，便於室內設計之變化。

㈣中空具有隔音與隔熱之功能

㈤旋楞鋼管之中空部份可兼作空調、水電、音響與電腦等配管、配線之用。

㈥天花板與地板一樣平滑，美觀平整，可省裝修費用。❹

---

❸　蔡保田著，<u>學校建築的理論基礎</u>，（台北市，五南，民75，頁194）。

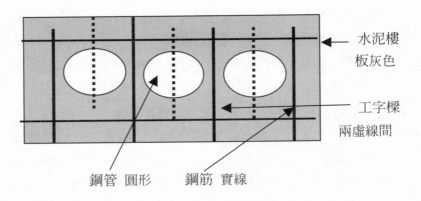

圖2　中空樓板「工」字樑集合體剖面圖

　　以台北市北投區清江國小圖書館來說，它以一棟四層樓建築的第三樓爲圖書館，全棟採「中空樓板設計」，所以，在長三十六公尺，寬十二公尺的寬廣館內（約四個半教室大），看不見一根柱子，也看不到一根樑，天花板與地板一樣平，使用起來非常方便，尤其是隔音效果特別好，不論樓上有任何聲響，都不受影響，書架或閱覽席次的安排設計，均可依最理想的方式，不受柱或樑的任何干擾。若某日發現傢俱陳列錯誤或不妥，可以立即改變設計，因此，筆者以清江國小圖書館之經驗，鄭重推薦「中空樓板設計」作圖書館之建築設計，將是最理想的建築。

---

❹　蘇國榮著，國民中小學圖書館之經營，（台北市，台灣學生書局，民80，頁55）。

二、室內採光

圖書館內的各項活動中，以閱讀書寫爲大部份，因此，室內採光爲一重要問題，然而，室內資料又以紙質印刷品爲多數，如日光直接照射，有損使用年限，所以必需愼重思考：

㈠自然採光：

自然光是最爲親切而符合心理的一種光源，同時免費供應，且取之不盡，用之不竭，設計時只要注意方向之外將窗戶多開即可，然而，月有圓缺，日有陰晴，光度無法隨我們的需要而取捨，過度的直射，紙質的書籍經不起紫外線的照射而變質，變黃而蝕脆，影響書籍壽命，所以，設計之時，宜把書架與窗作適當之間隔，以防直接照射；台灣地處颱風帶，窗戶過多宜注意風速與雨勢的強大，否則，因省採光經費而窗破書亡，得不償失。

㈡人工採光：

人工採光需要一筆設備與經常的支出，過去大都採「白熱燈泡」，雖然它耗電且光度似不強，但是對眼睛的傷害可減至最低，且裝置費低。現在大都改用「日光燈」，光度強而耗電量少，惟因它的閃爍影響眼睛甚大，台灣的學生近視率可能爲世界之冠，這可能是家庭學校均因省電所造成的後果，值得三思，由於人工採光可隨光度之強弱而調整，以補自然採光之不足，又得兼顧讀者的健康，也須經費能負擔，所以，在適當場所開窗之外，天花板以一般日光燈照明，且以雙管或四管等多管裝置，因距離較遠又多管交叉閃爍，

可能對眼睛傷害減低，而於閱覽桌置「自然光日光燈」，光束穩定，以保眼睛健康。

不論自然採光或是人工採光都應注意光的強度，計算光的強度單位是呎燭光（英制 Foot Candle）或米燭光（美制 Meter Candle 又稱勒克斯 Lux），一呎燭光約等於10.76米燭光，各國標準有所差異，依據我國國家標準 CNS 規定圖書閱覽室、書庫、研究室、教室等均在 500-700 LUX 間❺，而圖書閱覽室可以依局部照明取得該照明度，換句話說，如室內照明不足該標準時，可以在閱覽桌加裝燈具補足。

至於燈光控制，最好依照空間使用特性，考慮節約能源，設置自動控制、分區控制，無人活動時自動關燈及部份調光等不同之控制開關。選用高效率之燈具，以確保其照明率。照明控制省電化，裝設自動功率調整設備，提高節省電能。必要時裝置微電腦控制系統，依使用需要調整用電時間❻。

大多數的兒童喜歡「鮮豔」一點，過於暗淡較不吸引他們，甚而被排斥，因此，宜採「鮮明活潑」又「不刺眼」的顏色，予兒童有「清新」的感覺，進而被其氣氛牢牢吸引著，就不愁無客上門了。

三、通風設計

室內空氣清濁繫於通風設計之良否，通風系統又受溫度、濕度與空氣的流速所影響，分別敘述如下：

---

❺ 教育部委託中華民國照明學會研究，宋平生主持，「改善教室照明專案研究報告——學校設計規範草案之研究」，民80，頁128。

❻ 蘇國榮著，國民中小學圖書館之經營，（台北市，台灣學生書局，民80，頁55）。

(一)溫度：

溫度的高低直接影響讀者運思，爲要提供優良閱讀環境必有適當之溫度，一般說來台灣亞熱帶氣候以攝氏二十至二十五度爲宜，低於二十度似稍冷些，尤其在炎夏室外超過三十度，進入館內突然下降十度，不太能適應（花師圖書館曾以一十九度測試一個月，反應太冷，要穿外套以防感冒），至於圖書資料對於溫度的高低都受影響，太高氧化快速而變色，尤以手稿爲最，溫度太低，裝訂使用之膠品變質生硬脫膠，因此，爲與資料之安全，最好裝設中央空調，並控制室溫在攝氏二十至二十五度間。

(二)濕度：

濕度的高低也影響讀者的情緒，倘濕度太大，易感厭疲憊，難以專心凝神，對於紙質資料而言，濕度大紙張迅速收水分，使讀者手上的油污汗漬與空氣中的灰塵，加速化學反應，傷害書籍，甚至發霉長蛆，而非書資料的電腦磁片，更應小心，否則資料全毀，無法運用，損及讀者權益。所以，爲期使館內保持40％至50％的濕度❼，最好置除濕機，但宜將除濕機所得水排於館外，方不至留於館內循環，失去除濕效果。

(三)空氣流動：

圖書館是人人常往的地方，所以，人一多呼出二氧化碳就多，若二氧化碳在空氣中的含量超過0.3％時，就會令人有頭痛與疲倦的

---

❼　林勤敏撰，學校建築的理論基礎，（台北市，五南，民75，頁220）。

感覺，不論工作或研究學術都不適，因此，以保持含氧21％、含氮78％、含二氧化碳0.03％之空氣標準爲宜，而空氣流動的速度以每分鐘15至20呎爲佳❽。

㈣**空調**：

如果館舍附設在大建築物內，爲期小朋友健康著想，必須有空調設計，其設計應選用高效率空調設備，採小型化、區域化、在局部不使用時有自動關閉之設計。

四、噪音防範

寧靜的環境是工作、閱讀、研究所必需，館內的音效是值得探討與研究的，可能發生干擾的噪音如何設法避免，館內各室的播音與音響如何達到樂耳而令人感到柔和，事先宜周密慎思，一般噪音可能來自館外館內辦公室工作人員、讀者與機械響聲，不論來自何方我們均應設法去除。

㈠**室外噪音於窗戶設雙重玻璃**：

建館之初最好選擇遠離吵雜噪音之所，如飛機場、公路、鐵路或工廠，如因環境不允許，只好以建材設計來防止，實牆只要稍厚即有隔音效果，窗戶則以加厚且裝雙層玻璃，藉以隔音，同時館外種植多葉之常綠喬木，樹葉也是一種良好的隔音體，因它可將聲音

---

❽　John E.Burchart etal.,<u>Planning the University Library Building</u>,（ALA,1949）
　　p.63

反射而阻隔。（圖3）

圖3　種植喬木於室外阻隔馬路噪音

㈡室內人員的吵聲運用「吸音板」去除：

　　內天花板以吸音板來安裝，各 OA 隔間之屛風最好以選有吸音功能之布面建材，出納台、服務台、諮詢台與工作人員的辦公室均爲人員交換意見較多之處，難免交談溝通之際干擾到讀者，如以吸音建材區隔，則可減去大量噪音。若經費許可，牆壁亦以布質壁紙黏貼，可以減少聲浪之反射而達吸音效果。

㈢機械間安裝消音設備：

　　冷暖氣、電器及其他各種機械均可能發生巨大聲響，因此需加

裝消音設備❾，使響聲隔絕不入侵於閱覽區，確保讀者之安寧。

五、給水與排水系統

　　館內用水分盥洗設施及飲用水與消防用水等，為了保護資料安全，一般圖書館均將「盥洗設施」及「飲用水設備」與「消防用水」與資料隔絕另室配置，並禁止讀者攜帶食物與飲料進館（若可攜帶飲用水進館，則規定不得置桌上，以防傾倒危及資料安全），因此圖書館應該提供安全之飲用水，以及飲用器具，為節約用水起見，不論飲用或盥洗用水都採感應式給水設計，不用時自動關閉，以減少用水量，同時建立定期檢查管路及器具制度，隨時維修，杜絕漏水或浪費，且各層或各單位設分表以檢討用水量，另廢水均予回收處理及再利用❿。

　　若置飲水機宜採用合格有證照廠牌，並將使用方法與注意事項詳細標示於引水機旁明顯處⓫，以確保讀者使用之安全。

---

❾　機械間的消音設備可用隔音棉將機械封住，使聲響與外界隔離，同時將隔牆加厚，這樣閱讀區的讀者就聽不到聲音了。

❿　蘇國榮，「如何節省學校用水」，臺灣教育輔導月刊，33:8，民72.08，頁26-27。

⓫　飲用水使用方法說明：
　　1.取消毒安全紙杯。
　　2.取熱開水，請開紅色開關，小心燙到。
　　3.取冰水，請開藍色開關。
　　4.建議取冰水半杯加開水少許成溫水飲用。
　　5.有困難或機器故障，請通知服務人員
　　6.請在這裡把水喝完，不要帶到別處去。
　　7.紙杯用完請投入垃圾桶。
　　8.謝謝大家合作。

六、電力、通訊與微電系統

　　「電」在今日圖書館的地位有如人體的「血液」一般，缺了它全館將窒息而無法動彈，在規劃時，首先注意的是「總電源」一定要設置於水「淹不到」的高處，配置到館內時，則將強力的「動力」用電，如馬達、冷暖氣等，「一般用電」，如照明、影印機等分別配管輸送。電話、音響等通訊及網路等「微電」線路系統必需與動力及一般用電嚴格分離，否則訊號干擾非同小可，輕則失真，重則錯亂，無法使用，甚至釀成災害。因此，規劃之初不能不謹慎而行未雨綢繆。

　　用電與給水「線路」最好運用「管道間」之設計，一般建築師為求「美觀」而將「水管」、「電管」埋入水泥「樓板」或「柱體」中，倘因施工不慎，或外力影響造成水管或電線管變形而需維修時，將大費周章，甚至造成災難與重大損失，若以「管道間」設計，分到各定點則走「天花板」，因讀者不可能看到紛雜的管線，沒有美觀的困擾，而維護檢修均易如反掌。

第三節　館舍的位置

　　依據國民小學圖書館設立及營運基準[12]第參章第十三條規定：國民小學圖書館應依學校規模大小，以獨立建館、分層設區或專用教室設置圖書館為原則。為期擔任此職人員有所依循，分述於後。

---

[12]　教育部，國民小學圖書館設立及營運基準，91.10.30公佈，91.11.01生效。

一、獨立建館

　　經濟發展使我們躋身「開發國家」之林，經費預算之充裕使政府有能力作「整體規劃」的建築，所以，近年來台北市出現幾所完整規劃之國民中小學，台灣省也逐漸在做「校舍更新」，這是可喜的現象。

　　不論整體規劃或作局部更新，我們都應該把「圖書館是學校的心臟」（圖4）這句銘言牢記在心，以為校舍規劃設計之準繩。

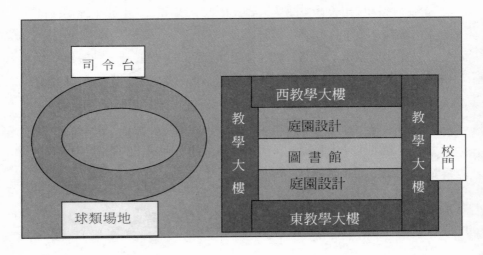

圖4　清江國小校園示意圖
　　　圖東、西、南側教室（四層），學校外面為都
　　　市道路，圖書館設在三樓

　　圖書館是學校每一位教師與小朋友都會去，且經常要去的地方，所以，如果以獨立設館時，最好選在學校的輪輻地帶，也就是

學校的中心，它應位在小朋友容易「看」得到，也方便「到」的地方，學生自教室到圖書館的距離越近越好，讀者容易到也願意去，圖書館的使用率就高，發揮的功能就大，否則，「找都找不到」，小朋友不見得會想去，就是想去也找不到，因而形成「讀者入館數」難登大雅，造成資源與人力的浪費。**⓭**

二、附建於建物中（分層設區）

　　目前各國小的圖書館為了節省營建經費而與許多不同用途之空間合併建築，是校舍更新中最常見的。因此，在規劃時就必須思考到它的明顯與突出，一方面顯出其重要性，另則也讓讀者快速的找到它，一般常見的是與體育館、音樂廳、活動中心等場所合併建築。動靜之間的拿捏，以及如何克服相互間的干擾？又如何凸顯它的存在，就看大家的智慧了。

三、教室改裝（專用教室）

　　限於經費或班級數過少，不需太大的空間時，往往將一般教室兩間或三間打通，加以整理就是現成的館舍了。

　　我們建議以設在三樓**⓮**以下為原則，最好於地面二或三樓，因為一樓大都為一般行政單位，方便家長或社區人士洽商而設計，同

⓭　淺談兒童室之規劃——以花蓮師範學院兒童室為例，台北市立圖書館館訊第11卷第2期，頁 92-96。

⓮　內政部63.2.15頒佈93.03.10.修正之建築技術規則建築設計施工篇第134條規定：國民小學、盲啞學校、益智學校或傷殘教養院之教室，不得設置在四層以上。

時低年級大多也置一樓，他們較少到圖書館，二或三樓較不煩雜，接近中高年級，方便他們課間就近利用，且爲安全起見，圖書館之任一點到達樓梯或出入口應不大於三十公尺❶⑤。這樣，在緊急或意外發生時，沒有安全之顧慮。

若考慮開放社區利用則宜置地面一樓且有獨立出入口，以免影響學生上課，因爲社區民眾成員多樣化，有老年人、社會青年，甚至幼兒，他們利用圖書館的時間不一致，如於二、三樓，他們出出入入影響學生上課，得不償失，除非空間無法運用分配，否則，盡量不要用地下室，因爲地下室潮濕、滲水、漏水、採光不良、通風不易，都不適宜圖書館的設置，況且高年級教室大多位於三、四樓，下課時間短暫無法抵達，也談不上利用了。

若環境許可，以設在中、高年級與自然科和社會科教室之間最爲理想，因爲到自然與社會兩專科教室上課時，利用圖書館的資料最多，如能就近使用，可收一舉兩得之效。❶⑥

第四節　空間配置

依據國民小學圖書館設立及營運基準第伍章第十七條明定：國民小學圖書館空間配置，得視功能區分爲閱覽、參考、資訊檢索、期刊、視聽、書庫、教具、教學及工作等區。及第十八條：國民小

---

❶⑤　同註❶⑭。

❶⑥　國民小學圖書館建築，當代圖書館事業論集：慶祝王振鵠教授七秩榮慶祝壽論文集，（台北市，正中，民83.07），頁197-228。

學班級數二十四班以下之圖書館應設可容一個班級學生數之教學空間，二十五班以上得視學校規模大小及需求設置合理教學空間，以利圖書館利用教育之實施。

圖書館的建築規劃，除一般校舍工程項目外，應特別說明館內各分區及其性質與用途，如參考區、書庫、教學區、非書資料區、資訊檢索區……等等，也因圖書館要有周全的管理與貼心的服務，因此，我們需要特別注意下列各點：

㈠節省人力，以最少人力即可開館服務，且不失管理之責，如一人服務。

㈡活動隔間，可供彈性使用。

㈢節約能源，自然採光與通風酌予採用。

㈣配合環境，造形美觀而具風格。

㈤讀者、館員、資料之動線宜分隔，避免交叉而干擾。

至於圖書館的重要性業已受到相當的重視，所以在新設學校或校園更新時業已列入重要規劃項目，非但設計新穎、空間寬廣，而且外觀宏偉，不亞於大學或中上學校圖書館，我們分別以平房一樓建築與二樓以上多層建築來規劃。

一般中小型的學校，如果學校空間允許時，以興建平房一樓館舍為佳，一則學生不需爬樓梯，又不會因書籍媒體重量影響樓地板承載疑慮，安全問題就較為不費心了。

如果學生人數較多資料量又大，而且空間所限必需作兩樓以上建築時，最好將讀者最需要而最常到的區域規劃於一樓，以節省讀者時間，其他的區域就依資料使用分別置各樓層，惟說明「指標」要詳細而明顯，以提昇服務品質。

　　服務讀者是每一圖書館的共同宗旨，但是，今日學校圖書館身負培育優良讀者之重要責任，因此，在設館之初，就應有妥善的規劃，在各大原則有一共識之後，我們來討論「空間」有關的種種，以作參考：

一、大門

　　通常大門是供讀者進出的地方，非但要適中，而且要醒目大方，這是門面，然而，就資料的安全性來說，閉館後宜上鎖，且應由裡面鎖，工作人員宜由工作門出入，同時，應另設安全門，以為緊急時使用。

二、門禁

　　讀者由外邊進入圖書館一定要經過大門，通常在大門與大廳之間有一道管制，換句話說，進門之後尚可考慮是否要進館，決定入館者通過這道管制（圖5、6）即進入圖書館的大廳，為了節省人力資源的浪費，出入口的管制最好僅有一處，以便在假日或人員無法調配的狀況下，只有一個人也可以開館服務，門禁的管制最好以刷卡電腦管理與圖書安全系統並用（圖7），進出刷卡則可由電腦管制人員（讀者）進出情形，還可作各種統計資料，以為教學與行政上的參考，尤其是夜間閉館與假日前之休館，如館舍較大或房間較多，讀者在館內發憤忘「時」抑或讀睏了而睡著，他們都不知離館，館員必需詳細走巡，耗時費神，況將閉館時可能借書的讀者又特別多，難以兼顧，如有門禁管制系統，只要查進館人數與出館人數是否相符，若不符時，立即依系統查出何人仍於館內，利用廣播呼叫其姓名即可，以節省全樓查巡之苦；圖書安全系統則可協助檢查讀者所

圖5 讀者出口刷卡處

圖6 讀者入口刷卡處

圖7　讀者出口刷卡及安全措施

圖8　存物室錄影於服務台觀察並存檔

攜出的圖書資料是否已辦出借手續，而不需翻檢讀者的書包、提袋，引起不必要的誤會與困擾。

如果能有較大的空間，從大門一進來，應有較大的廳堂或視野，所以，門禁系統設置於不超過大廳深度的四分之一為佳，如無合適的空間，則留與門一點五至二公尺之距離為度，這樣，讀者入館前可將雜物置於存物櫃，免重物在身，不便閱讀。

三、存物室

圖書館如對外開放時，務必設存物室或衣帽間，以方便讀者，將過於龐雜或大件的物品存放，尤其是禁止攜入館內的食物與飲料，需有存放之所。對於讀者存物之安全除運用科技之全時錄影觀察與存檔系統（圖8）外，並提供傳統的投幣式存物櫃，當讀者存入物品，投入硬幣，取出鑰匙即已上鎖，取物時需以鑰匙開鎖，讀者就有安全保障之感，而無偷竊之慮。倘真有不肖手癢而發生偷竊行為，館員因忙於出納工作或讀者簡易查詢時，則可依錄影檔案查出。

四、出納服務台

出納服務台是與讀者接觸最頻繁也是讀者進館最先到達之處，宜置明顯又方便之處，通常它兼出納與簡單詢問工作，如有裝設門禁與圖書安全系統，最好把詢問與還書部份置於系統外（圖9），這樣一些只要還書或詢問簡單問題而不擬進館內的讀者就不必經門禁系統進館辦手續，借書部份置於裡面，出借圖書資料一定要辦手續經由門禁管制系統出口才准離館，以保資料完整，便於服務讀者，也是保障讀者的權益。

圖9　出納台（還書窗口置管制區外，借還書用雙螢幕系統）

　　還書處最好與借書處分開，如果空間分配不足，還書的讀者可以在走廊就近還書，不需進入圖書館內時，可以在「出納台」靠走廊處窗口設置還書處，若已自動化者可以設「還書孔」，讀者只要將欲還之書投入「還書孔」（圖10），館員工作餘暇取出辦理還書手續後歸架，這樣可以緩和下課只有十分鐘時間忙不過來的窘境，也大量紓解進館的人潮。

圖10　還書口

　　處理借還書的電腦顯示螢幕也最好借還分開，可以免除切換耽誤時間，同時顯示螢幕也以兩座為宜，館員讀者雙方均可目視借還書的結果，讀者清楚的了解自己的借還紀錄，減少誤會的產生。

五、線上目錄查詢區

　　現代的圖書館逐漸走向自動化，目錄卡片逐漸被線上查詢系統所取代，因為目錄是每天在生產的，它的印製已經很費時日了，還要騰出人力來「插卡」，插卡的工作非但耗神費時，而且非常傷眼與傷神，同時數量多時又佔空間，近年來發展圖書館自動化，更因網路系統的開發而方便無比，「線上查詢目錄」（圖11）因而誕生，它只要幾部（依讀者使用量決定數量）工作站與主機相連，所有目錄資料

圖11　線上目錄（opac）

均置主機之硬碟中，一般只要數秒即可查到您所需資料，速度快又省空間（僅置一兩張桌子放電腦即可），更省製卡費用和插卡人力，也方便讀者，眞是一舉兩三得，何樂而不爲？

六、閱報區

　　報紙與電視及收音機可同時放這裡，報紙用報夾或閱報台，電視與收音機則用無線耳機，這樣使用時就不會干擾他人，這些都是日常生活的資訊，也是生活不可或缺的，因此，利用的讀者也較多，如空間環境許可，通常我們會規劃在大廳，而與正式的閱覽區相隔，

方便一般只為看報消遣來館閱讀的讀者，以免與學術研究相干擾。

七、行政（工作）區

　　這是館員工作的所在，我們應將它與讀者分隔 (圖12)，這裡包括讀者所歸還而未處理的讀物資料、採錄組剛購回待處理的讀物資料、編目組正進行分編中的資料，以及工作人員的辦公場所，未處理的讀物資料不宜與讀者接觸，工作人員的辦公場如有讀者進入必形成干擾，所以需要隔離。同時，書商或一些工程人員也會來館，他們前來的目的與讀者不同，也應與讀者分開，基於以上原因，工作區的出入應與讀者分開，才不會混雜難分，若為一人圖書館，則行政區可與工作室合併，以便照顧。

八、參考區

　　參考工具書是一個圖書館的心臟，這些專供參考而不外借的書籍資料都放置於參考區，這裡也是教師引用教學資源最頻繁之處，因此，它宜置於讀者最易到達之處。

九、書庫兼閱覽區

　　目前各中小學圖書館都已採「開架服務」，因此，書庫與閱覽區 (圖12) 合而為一，規劃設計時宜注意書庫中書架的位置與採光，也注意空氣的流向，更注意書架之間距，以防學童蹲下取書 (或查書) 而碰倒，如空間足夠時，應備學生數10%的閱覽席，如不足時，至少也要50席以上。

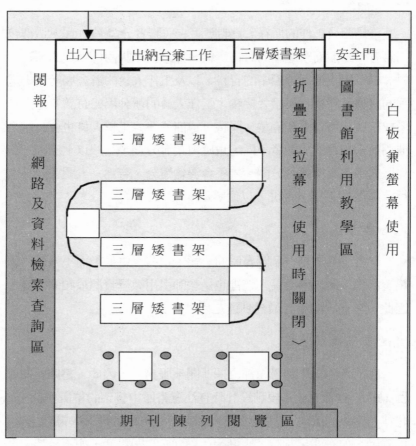

圖12　平房或一樓普通教室改裝爲圖書館之規劃設計示意圖

十、教學區

實施圖書館利用教育培育優秀的圖書館利用者，是國小圖書館設置的重要任務之一，因此，館內至少需規劃「可容一個班級學生數」之教學空間，以爲班級實施「圖書館利用教育」之用，最好有活動（拉門式）隔間（圖12），平時敞開爲閱覽空間，上課即爲教學區，最好備有活動白板可兼螢幕使用，同時應有放影與放音設備，備無線耳機，以免視聽資料運用時聲音之干擾。若學校班級數較多時，必須規劃兩個或三個以上的教學空間及一個較大之集合空間，以利圖書館利用教育與圖書館活動的進行。

十一、表演區

講故事、皮影戲、木偶戲都是小朋友最易接受的，最好在教學區撥出一角作表演之用，這一角可用各種尺寸（高相同，長、寬不同）的木箱組合，將木箱外面黏上顏色地毯，視使用情形而組合成各種形狀（圖13、14），如平面的舞台，階梯形的合唱台，也可以用爲作品展或兒童休閒閱讀之用。

圖13　表演舞台設計

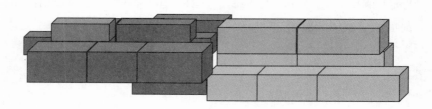

圖14　舞台設計分解圖

十二、非書資料區

　　非書資料將是兒童的最愛，而且其產品也正急劇增加中，錄影與錄音資料是目前較豐富的產品，影碟、光碟或微片亦在成長中，所以，放影機、放音機、雷射唱機、影碟機、光碟機和微片閱讀複印機，不論是個人使用或共同使用區均需規劃備用。無論是個人閱讀或欣賞，或是雙人與多人共享都應提供「耳機」（圖15、16、17），對於有聲音的各種資料方不致干擾別人，也不被他人所干擾，若對於耳機維護有所耽心，可採以證件抵借以明責任，若因使用方法錯誤或自然耗損部份不宜歸罪於兒童，所以，館員宜親切詳細指導解說其用法，以減少維修之困擾。

　　若空間與預算許可時，宜另闢大型視聽室，提供眾多讀者多媒體資料欣賞與教學，也可提供學術研討之需。

圖15　單人使用視聽卡座

圖16　　雙人使用視聽卡座

圖17　多人使用視聽卡座

圖18　網路使用區

圖19　資料檢索用電腦區

十三、資訊檢索區

電腦資訊是二十一世紀的寵兒，每一讀者對於光碟資料、網路資源與資料庫的運用都愛不釋手，因為在這資訊爆炸的時代，大量的資訊湧入，只有依賴電腦科技快速的檢索，方能自萬千資料中篩選出讀者所需資料，同時又因科技之昌明，聲光音響也數位化而傳輸，因此單人卡座式、雙人卡座式與多人共享之設置必須顧及，以符讀者的需求。（圖18、19）

學生數	300人以下	600人以下	1,200人以下	2,400人以下	2,400人以上
館內規劃	閱覽室 工作室 書庫	閱覽室 工作室 書庫	閱覽室 工作室 書庫 視聽室50席	閱覽室80席 工作室 書庫 視聽室120席	閱覽室100席以上 工作室 書庫視聽室150席
館舍面積	1.5間教室	2間教室	2間教室或獨立建館	3間教室或獨立建館	4間教室或獨立建館或獨立建館
閱覽席	50席	50席	50席	120席	150席
備　註	工作室兼辦公室	工作室兼辦公室	20班以上之學校圖書館宜獨立設館而視聽室可兼作活動室、辦公室使用		

我國國民小學校圖書館館舍設備標準（民70年公佈）

美國中小學校圖書館舍標準 （面積單位為呎平方 f x f)

學校規模	0-200	201-500	501-1000	1001-2000	2001-3000	3001-5000
專業館員	1	1	2	4	1	1
助理人員	0	0	1	2	3	5
閱覽席次	班+20席	班+75席	班+100席	班+200席	班+300席	班+500席
間　　數	1	1	1	2	3	5
每人面積	25 fxf	25 fxf	25 fxf	25 fxf	25 fxf	25 fxf
資料種數	1,700	3,500	5,000	6,000	7,000	8,000
最低冊數	2,000	5,000	7,000	10,000	12,000	12,000
每人書費	US2.5	US2.5	US2.5	US2.5	US2.5	US2.5

　　至於館舍面積的大小，依我國國小設備標準與美國中小學圖書館標準相比較（詳附表），兩者在空間的比率相差無幾，雖然有此明文標準根據，我們仍需作未來發展考量。若單獨設館時，最好以本校最大容量班級數為設計目標，同時，為期圖書館利用教育之實施，在二十四班以下之國小圖書館必須設置可容一個班級學生數之教學空間（圖20），二十五班以上規模之國民小學，其圖書館得視班級數之多寡，設置合理之教學空間❶，如果遷就目前現況設計規劃，必需預留來日發展空間，以為未雨綢繆。

---

❶　同註⓬之第十八條。

圖20　台北縣三峽國小學生閱讀情形

第三章　傢俱設備的規劃

　　兒童的身高體重與習性都與成人不同，理所當然使用的器具應有所不同，所以，自地板開始，舉凡桌子、椅子、書架、盥洗設施、舞台、燈飾、音響等，無一毋需為這批小讀者所考慮，否則，非但不能吸引他入館，而且有可能發生危險，傷及他的生命與安全。

第一節　書　架

　　書架為圖書館中主要傢俱設備之一，為期適合國民小學生之需求，除標準規格設計外，宜注意書架之高度以110公分之三層矮書架（圖21）為主，因為國小學生考慮較不周全，如使用一般高書架（高六層者），當欲取較高層書架的資料時，可能逕自爬書架取書，因而產生重心不穩而倒塌，甚而引起骨牌效應，連續倒塌，造成生命安全之影響，後果不堪設想，至於書架的材質、色彩、高度與外形，以吸引他們，茲分述如下：

圖21　木製三層矮書架

一、材　質

　　目前市面上書架的材質可分木製、鋼製、塑膠三大類，分述如後：

㈠**木製**：

就是以木材爲基本材料製造而成，又可分實木、夾板與木心板。

　1.實木：

也就是以實際木材切割製成木板，再由木板釘製而成，通常木

板經陰乾或乾燥處理，以防變形，再刨光磨平而後上漆，如木質紋理清析者，以透明漆而保原木色澤爲佳，否則顏色以小朋友喜愛之鮮豔而不刺眼，並與大環境配合爲原則，不然過於突兀顯得不協調，實木如防蟲處理得當，且各接頭如以竹釘、木釘或卡榫處理，可保經久不壞，質感觸感均佳，置於室中，柔和而溫暖，爲最理想之書架材質，但價格稍昂，非一般圖書館所能負擔。

2.夾板：

又稱合板，由木材刨成薄片後組成，即由三片或五片或更多，用膠水等黏劑將刨出之木材薄片分紋理縱橫排列膠合而成，俗稱三夾板與五夾板，這些夾板經乾燥、防水與防蟲處理，若處理過程完整（如加蠟以防水），有如實木一般。

3.木心板：

爲夾板中間夾著一些實木（質料較差的木頭），外層再以貼皮（將紋理較美的原木刨成很薄的薄片）處理，外觀儼然與實木一般，惟承重較差，做成書架時跨距不宜太大。

㈡鋼製：

先行製模而後以鋼材壓製而成，書架以放置圖書爲主，因此，必需注意其承載量，每一書架應達200磅以上爲合格要件，否則置書而形成彎曲，造成危險，影響讀者安全，非同小可，不能不注意，鋼製書架依外形與用途可分下列幾種：

1.單面書架：

這種書架爲「L」形支架，用於靠牆處，以節省空間，每架寬90公分，可視牆的寬度而自行組合，至於層數則需要求廠商先行製

模壓製。

2.雙面書架：

這是最普遍使用的鋼製書架，支架為「⊥」形，中央直立之支柱長短隨層數而定，除一般規格外，層數特別者則需要求廠商先行製模壓製，每架寬90公分，可視館舍寬度與走道之多寡自行組合，異常方便。

3.密集式書架（如圖22）：

如果圖書館的空間有限，館藏又不斷成長，只好把罕用資料集中置一處，以密集典藏，換句話說，將許多書架間縮小兩書架間為「零距離」，頭尾兩書架固定，將書架底部裝上二至三條軌道（如圖23），以電動或手動移動書架，僅留一空間供取資料時用之，每架最好設按鈕與燈號，如讀者需使用時，查出資料編號而知置於何架，於該架之按鈕一按，即可移動，方便讀者進入取書，此時燈號亦亮，讓另一讀者知曉他在書架中，暫時不要移動書架，以免因移動而被夾住發生危險。

為期書架兩側之美觀，視經費之允許與否而加製「封板」，封板的材質大都以木製為多，尤其是夾板為最，因封板主要目的是為美觀與標示，無承載之力，鋼製過於笨重，徒增重量，因而較少用。

圖22　密集式書架

圖23　密集式書架使用的軌

㈢**塑膠製**：

　　塑膠是近年的產品，有些商人將其硬度增高改稱塑型鋼，再用射出成型的原理製成各種尺寸的矩形箱（圖24），也可以製成木板狀，嚴格說來這板狀的塑膠是中空的，只不過在中空間加部份細支柱，以支撐壓力，由於它可配成各種顏色，又是現成的各形箱狀物，各國小及公共圖書館的兒童室普遍用它來組合成書架使用，因其形體固定，不易隨圖書版面大小來調整書架的高低，為其「致命傷」，且塑膠為「石化製品」，易受「高溫」而「變形」與「變質」，且承載力差，故使用前需三思。

圖24　塑膠射出型箱形書架

㈣角鐵或角鋼切割組成者（圖25）：

在經費困難時可用這種方法，角鐵或角鋼市面容易取得，且價格便宜，以一定的長度裁剪，帶回以螺絲固定，再輔以薄板即成，由於其承載有限，寬度不宜過長，且缺底座而穩定性較差，不宜過高，以維安全。

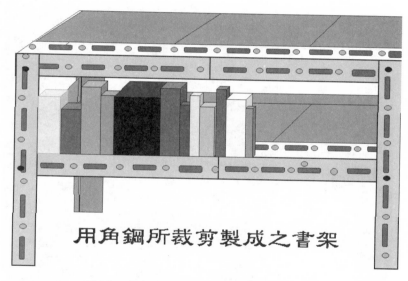

用角鋼所裁剪製成之書架

圖25　角鋼書架所用裁剪製成之角鋼

二、高度

書架之高度要注意到讀者，對於國民小學的小朋友來說，不宜過高，最好以三層的矮書架為宜（110cm）（圖26），而國民中學的

學生則可稍高些（150-180cm），因爲我們大都採開架服務，讀者
需要自己到書架去取書、看書、查書，以小朋友來說，如書架稍高
些，小朋友看不到書架上的書，也拿不到書架上的書，如勉強爬上
書架去拿，易使書架失去平衡倒塌而發生危險，這是我們所不願看
到的。

圖26　木製三層矮書架

圖27　防滑取書雙層梯

　　如果限於空間的不足必需採較高之書架，則需備單層、雙層或三層之圖書館專用梯（圖27），這種梯的設計較特殊，梯腳裝有伸縮彈簧的滑輪，移動時利用滑輪滾動省力，站上去時滑輪的彈簧受壓而縮起變爲固定，以免滾動而滑倒，這是一種安全裝置，除非專供教師使用之書庫，否則書架高度不宜超過150公分，以確保兒童安全，若超過200公分專供教師用之書架頂端宜用連接桿連接（圖28）固定（可用鋼材製成或以角鋼亦可），以防因書架過高，重心較爲不穩，地震或讀者碰撞時易因搖動而傾倒，造成傷害，危及讀者安全。

圖28　確保安全之高書架固定桿

　　為了避免兒童撞擊而發生受傷之危險，所以書架排列轉角處以「有弧度」之「轉角書架」（圖29）來銜接，一則保護兒童安全，二則所形成之幾何圖形也吸引小朋友之好奇心。

三、間距

　　我們大都採開架服務，讀者親自接觸資料而予確認，兒童對最下層之書籍常蹲下去找，因此，我們要考慮到蹲下去不會碰到背後的書架，否則，因一兒童蹲下而碰倒，形成書架的連鎖倒下，因而壓傷或造成死亡意外，雖不因過失而遭行政單位處分，也將難過一輩子，您說對否？所以，兩書架之淨寬間距最好大於120cm。當然也不宜過寬而浪費空間，倘空間很大而書不多，則將閱覽桌置兩書架間如同一般參考室一樣，閱讀更形方便，亦有坐擁書城之感。

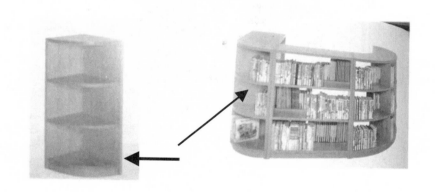

圖29　確保兒童安全轉角使用具有圓弧形之轉角書架

四、外形

學校圖書館的讀者年齡層較低,「奇」是吸引他們的一種方法,所以,除一般傳統的書架與期刊架外,我們可用圖形拼合或外形具「卡通或動物」(圖30)形狀者,這些對小朋友較有親和力。

圖30　卡通造型兒童書架

第二節　報架與期刊架

一、報架

各國民小學通常為了教職員工的方便,將報紙夾入報夾後就放在辦公室,造成辦公地點看報紙的景象,給民眾不良形象,所以,

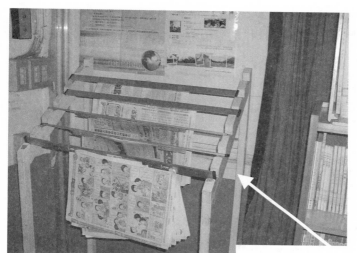

攝自台中縣后里國小圖書館　　　圖31　斜梯式及水平式報架

攝自花蓮師院圖書館

應該將報紙與期刊一律置圖書館，需要閱讀或消遣輕鬆一下，移步圖書館，免為人垢病。

在圖書館的報紙通常用「斜梯式」與「水平式」（圖31）兩類型的報架，這兩種報架有木製、塑鋼及金屬等材料製成。使用斜梯式報架，報紙名稱一覽無遺，取閱異常方便。水平式報架之使用，將報紙夾妥於報夾後置架上，雖然館員將報紙名稱書貼於報夾上，但是字體較小，對年長者及幼童均非常不便，這是最大的缺點。

二、逾期報櫃

對於過期的報紙，讀者的需求也很多，所以，通常本月內過期報紙不裝訂，另置一處供需要者閱覽，經費許可則購置逾期報櫃（圖32），超過一個月之上月報紙則需裝訂後置於置報櫃或集中另放一處，最好以「一年之內」和「一年以上」分類置放，使用較方便。

三、閱報檯

一般國民小學因經費預算有限，所以僅將報紙置報架，讀者取報後逕往閱覽桌閱讀，若經費許可則可購置閱報檯（圖33），將報紙固定於一定斜面的檯面上，供讀者站立或坐妥閱讀，供立姿的檯面斜度以45°到60°間較妥，而坐姿的則以30°到40°為佳。

四、期刊架

自從第二次世界大戰之後，期刊的發展成幾何級數的跳躍，而蘇俄首次人造衛星發射升空，更凸顯期刊在學術研究的重要性，對於這一持續成長的期刊存放與讀者取閱方便就成重要課題。

標示報紙名稱及起迄月日

圖32　逾期報櫃

圖33　閱報檯

1.現刊：

一般採斜立式爲主，一目了然。也有學校因經費無著，所以僅製一夾板，其板面較期刊版面稍大，將期刊固定其上，置於固定位置，供讀者閱覽。

圖34　現刊期刊架

雖然期刊架的式樣很多，但是以目前市售「展開式」（圖34）爲佳，即現刊展示架上，逾期未裝訂者將面板掀起（圖35），將過刊平放，讀者使用方便。

2.過刊：

過期刊物的放置分兩大類，第一類為近期之過刊，如果學校有展開式期刊架，則將它置於現刊面板的裡面，平放疊置。否則也會找一適當的位置堆疊存放，累積一定期數後裝訂。第二類的就是累積相當數量後裝訂，便於保存運用，免於零星散失，補充不易。裝訂後的過刊宜用普通書架放置，亦可當書籍分編處理之。

圖35　現刊期刊面板掀開內部置逾（近）期的期刊

第三節　閱覽桌與坐椅

　　國小學生使用的閱覽桌可用「梯形桌面」設計，一來形狀與一般方形或矩形不同以吸引學童，再則可依梯形面作各種組合（圖36、36-1、36-2），在討論、研究或圖書館利用教學時非常方便，坐椅也可以多角形沙發代替，同時，閱覽桌與坐椅的顏色宜採活潑而不刺眼，使氣氛不沉悶而有朝氣。（如圖37）

　　至於桌椅的高度，必須依據人體工學設計，也就是說：椅子座面的高度為小腿骨長度減去一公分，這樣坐起來較不易疲倦。同時宜分低、中、高三種尺寸之規格，以適應不同高度之小朋友使用。

	閱覽桌	坐椅座面		
	桌面高度	座面高度	有效深度	座面寬度
低年級	46cm	26cm	26cm	32cm
中年級	52cm	30cm	29cm	34cm
高年級	58cm	34cm	33cm	34cm

兒童閱覽桌椅的規格舉例（取材林勇著兒童圖書館家具及設備之研究，頁178）

兩張梯形桌合併成六角形討論座

梯形組合桌組

圖36　兩張梯形桌組成六人坐研討桌

圖36-1　廈門少兒館的組合桌

圖36-2　上海少兒館期刊閱覽室討論情形

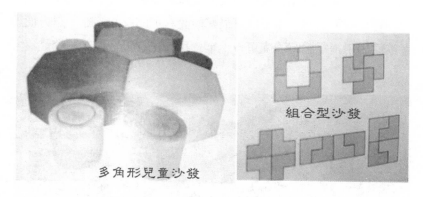

組合型沙發

多角形兒童沙發

圖37　多邊形或圓形兒童沙發及其組合圖

第四節　視聽與電腦資料檢索卡座

　　不論是個人、雙人卡座或共同觀賞雅座（圖38、38-1，38-2），隱匿性要高，且以使用耳機不干擾他人為原則，同時，坐位宜以透氣之棉質布面或小透氣孔之皮面沙發式較舒適些，因為欣賞視聽媒體時間通常較長，免除過度堅硬坐椅有不適之感及不透氣之表面，而使臀部汗濕發癢影響健康與欣賞氣氛。

　　資料庫的檢索與網路資料的運用是現代兒童與青少年的熱愛，DVD、CVD 取代了過去的電影與錄影帶，電視機那刺眼又傷眼發熱的螢幕亦為電腦的液晶螢幕所取代、因此電腦卡座（圖39）便是不可或缺的設備，這些卡座的設計以 OA 隔間為宜（圖39、39-1），每

個人之間保留一點點私密性，又能使視野寬廣，且光線明亮，在個人閱覽桌或討論室的桌子底下最好能設計網路線的接點，以方便讀者欲使用手提電腦時隨處可以上網運用，以提高我們的服務品質。

圖38　視聽卡座

圖38-1 單、雙人視聽卡座

圖38-2 多人共用欣賞區

圖39　資料庫及網路檢索區

圖39-1　圖書館電腦卡座一角

第五節 影印機及飲水設備

國小學生雖然年紀還小，但是，「使用」、「蒐集資料」的方法以及智慧財產權的保護（圖40）等相關知識我們都得教他，所以，影印機的使用（圖41）也是教學的一部份，適用於國小讀者的影印機就要慎加選擇，個人認為應有下列條件：

1. 機身不宜過高，小學生使用容易。
2. 功能簡單，小學生容易學習，也容易操作。
3. 性能要好，故障率低，如常故障，減低使用慾。
4. 置圖書館內參考室或方便之處。注意排氣之通風，避免廢氣中毒事件發生。
5. 可刷卡或投幣，由學生自行操作。
6. 最好是紙張不論大小，操作不論放大縮小都一樣價錢，免找零之苦。
7. 明顯標示使用方法與操作步驟。

應指導小朋友影印時，以紙片夾於資料需印處，勿於資料上書寫任何記號文字與書頁折角，以保資料安全，延長使用年限。使用完畢請歸回原處，方便自己。養成小讀者獨立處理事務的能力，也減少人力的浪費，提升服務品質，影印機除了蒐集資料影印方便之外，也有維護資料安全之功能，過去因為資料取得不易，因此，經常發現讀者偷竊書籍雜誌或撕割期刊情事，自從影印機提供服務之後，情勢就好轉，價廉而不牟利以服務方式提供時，偷竊與撕割情事就甚少發生，可見影印機對讀者的服務與資料安全維護之重要了。

圖40　影印注意事項與著作權限制

影印機使用方法

一、請先插入卡片。

二、請打開開關，如故障時請告訴工作人員。

三、請把要印的文件放妥。

四、請選擇 A4、B4、B5 或 A3 按鍵。

五、請選擇要印的紙張數，按妥數量的數字。

六、請檢查紙夾有紙嗎？沒紙時請告訴工作人員。

七、Ready 的燈亮了就可以按鍵印了。

八、請取回印好的文件、原稿及卡片。

九、請關掉電源。謝謝合作，歡迎再用。再見！

圖41　影印機使用方法標示

　　為了圖書資料的維護與安全，各圖書館均嚴格禁止讀者攜帶飲料與食物進館，但是飲水是人們生理所必需，因此，提供清潔衛生的飲水並準備衛生紙杯（圖42），以解決讀者飲水問題，如同意攜帶飲水入館，宜規定不得置於閱覽桌面，以防傾倒而危及資料或燙傷事件發生。倘若飲水或飲料置桌面而傾倒，如潑及書頁，讀者無法使之完全乾燥，又將書籍上架致因潮濕而發霉，如有甜分或味道之飲料，更引來蟲鼠之害，可知影響書籍資料安全至巨。

飲水機使用說明

1. 請取消毒安全紙杯

2. 取開水，請按紅色按鈕，小心燙到

3. 取冰水，請按藍色按鈕

4. 建議先取冰水半杯，再加開水少許成溫水飲用

5. 請在此把水喝完，不要帶到別處，以免污染

6. 喝完請將紙杯投入垃圾桶

7. 謝謝　您的合作

圖42　飲水機使用方法說明標示

圖43　用盆景來區隔

第六節　景觀佈置

　　圖書館空間的區隔，一般國小因面積不大，所以各區間爲作有形的區隔，而以通道爲界線，這樣節省空間又可免除視覺之干擾，如果空間寬闊時，最好不要作實牆的隔間，一則它增加讀者的困擾，因來回各區間時要走許多冤枉路而浪費時間，甚至影響閱讀情緒，所以如果能以美化環境之綠色盆景（如圖43、43-1）來作間隔，則有賞心悅目，心曠神怡之效，且無阻礙與區隔之感，更有拓展空間視野之效。至於某些角落或樓梯底下未使用之空間可用各型盆景造景（圖44），一則美化環境，減少視覺干擾，二則盆景更換維護較易，不增館員工作負擔。

圖43-1　用盆景來區隔之一

圖44　樓梯底下之造景

第七節　指標設計

　　圖書館是多功能的場所，因此指標的規劃設計直接影響功能的發揮，尤其是幼小的兒童更形重要，不論形狀、大小、圖案、顏色、懸掛高度、位置都需要精心規劃設計，分別說明於後：

　　形狀：

　　指標系統，製作全館一致性之指標，如圖書館平面圖、資料區室及方向指引標示牌、閱覽說明、中國圖書分類法類目表、電腦資源教室使用說明、參考服務說明、館藏特色說明、訂閱期刊報紙一覽表、小博士信箱、活動實施說明、服務電話、緊急逃生方向、安全樓梯或出口等，兒童室之標示並以活潑有趣之方式呈現。可用兒童熱愛的動物或卡通造形爲指標之形狀，以引起兒童之好奇與喜愛。

　　至於其造型的大小，除了特別說明解釋的說明板如分類表外，相同性質的最好一律相同尺寸，換句話說，閱覽區、資料檢索區、教學區、電梯位置等用最大型（圖45），特殊用途或涵蓋面較窄的用較小尺寸的指標（圖46），如盥洗室、影印處、飲水機、文具區（備原子筆、刀片、橡皮擦、尺、便條紙等以應不時之需，貼心服務）。如果因爲空間不足而需要向空中發展而規劃兩樓以上建築時，樓層的標示就很重要了。倘若沒有確切的標示，往往自己走到那一樓層而不自知，甚而多走了許多冤枉路而浪費時間，所以我們建議在每一樓梯起步處標明所在樓層外，在樓梯中的平台處也作明確標示所通往樓層（圖47），樓梯口也明確標示其樓層的數字（圖48）。

圖45　大型標示牌

圖46　小型標示牌

圖47　樓梯平台標示通往樓層

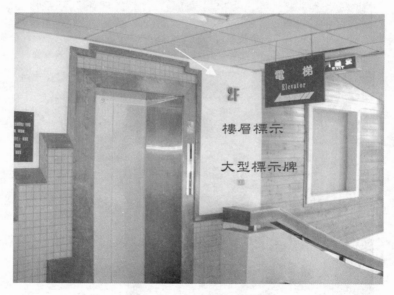

圖48　樓梯口之樓層標示

顏色：

指標的顏色以劃一底色爲原則，讓兒童很明確知道這個樣子、這種形狀、這種顏色的就是什麼。所以，如果更貼心一點，用字加注音符號，以方便低年級的小朋友，且字的顏色與底色最好明顯的對比，以期遠處就可一目了然。

需要懸掛的指標大都自天花板垂掛，所以我們需考慮讀者的安全性，掛得太高，小朋友看不見，失去指標的意義，低一些則因掛的繩或鏈太長，風吹晃動危險，因此，這一類型指標必需選擇固著力穩定處，且繩或鏈必需先試驗穩妥後方能使用，原則以距天花板三十公分爲原則，以減風吹搖動過大而生不測。

貼或釘於牆上之指標，以固定高度與位置釘（貼），小朋友方易於辨認使用。若爲直立式的指標，則底座的重心一定要穩固，不能因輕碰或風吹而搖擺或倒地，這樣會危及小朋友的安全。

至於指標的材質，可用木板、壓克力、塑膠等視學校預算訂製。

第四章　館藏規劃

第一節　館藏空間的設置

一、書庫：

　　目前國內國民小學圖書館之中文圖書絕大部份採賴永祥之「中國圖書分類法」，少數使用其他分類法或未分類。且大部份業已實施開架閱覽，因此，書庫與閱覽空間合併。另外，各館可依實際需要設置以下各閱覽室，包括：

　　⑴報紙閱覽室：陳列當天及合訂本報紙。

　　⑵期刊閱覽室：陳列當期及合訂本期刊。

　　⑶非書資料閱覽室：陳列各類型視聽媒體。

　　⑷立體資料室：典藏各種教學媒體資料（俗稱教具）以供教學運用。

二、圖書館活動空間：

　　也是實施圖書館利用教育的場所，依「國民小學圖書館設立及營運基準」第十八條規定：「國民小學班級數二十四班以下之圖書

館應設可容一個班級學生數之教學空間，二十五班以上得視學校規模大小及需求設置合理教學空間，以利圖書館利用教育之實施」。

三、服務臺：

出納臺、參考諮詢臺、期刊服務諮詢等。

四、存物櫃：

視空間大小來決定本館是否設置存物室。

五、複印室：

要公告複印時間、價格、服務方式（如是否提供黑白及彩色複印及裝訂服務等）。

六、展覽區：

展覽區可與圖書館活動空間共同用。

圖書館是教室的延伸，是學生進行課外學習的場所，因為沒有任何壓力而且是自己所喜歡的，若經過適切的引導與指導，可以大量閱讀，開拓視野，陶冶情操，獲取豐富的知識的寶庫。圖書館若有豐富的館藏、現代化的服務，可以把學生引向無際的知識殿堂，探求宇宙的奧秘。

國民小學圖書館的設立，旨在於提高學生的閱讀能力，增廣他的知識見聞，且以自幼培養其自學能力，對於學科教育，品德陶冶和未來的學習關係至鉅，……同時亦擔負支援教學的重任。❶

---

❶　蘇國榮著，<u>國民中小學圖書館之經營</u>，（台北市，台灣學生書局，民80年修訂二刷，頁65-66）。

　　因此「國民小學圖書館設立及營運基準」第九條規定：「國民小學圖書館應配合學生之學習與教師之教學、研究、進修等需求，訂定館藏發展計畫。」❷所以，圖書館必需依據其讀者群的需要，以「學生之學習」與「教師之教學、研究、進修」為兩大訴求，再加上調劑身心之「休閒讀物」作為館藏的重心。

　　小朋友因為年齡幼小、社會經驗較少、學習剛開始，各種判斷能力不足，又逢心理發展巨大變化的轉變期，他們受到幻想、好奇、冒險、崇拜、虛榮等等心理所致，對圖書資料媒體尚未具能力分辨其良莠，所有的讀物對他們來說，都是新鮮的、很棒的、甚至還很刺激的。為此，我們要為他們選擇健康有益的讀物，進行指導和輔導，由此增進他們的知識，培養他們的社會意識和良好的道德倫理觀念。

　　教師們雖然都是高知識人物，但是，個人領域與專精之不同，又因忙於教學雜務而鮮少時間可供蒐集相關教學參考資料，圖書館工作人員均為專業人員，宜以提供相關「參考書目」作為其「推薦書目」之依據。

　　「國民小學圖書館設立及營運基準」對於館藏也作如下的提示：㈠國民小學圖書館館藏包含圖書、期刊、報紙、視聽資料、電子資源及各種教學媒體等。㈡國民小學圖書館館藏基準為圖書資料六千種或每生四十種以上，期刊十五種以上，報紙三種以上。㈢國民小學圖書館每年館藏購置費至少應占教學設備費百分之十以上。

---

❷　教育部令，「國民小學圖書館設立及營運基準」，民國九十一年十月三十日公佈，同年十一月一日生效。詳 http://mail.nhltc.edu.tw/~su/lib/lib9.doc

❸所以各校圖書館主任或組長必須於每年編製足夠之預算,以充實館藏,提供有效之服務。

第二節 基本原則

圖書館其館藏必需符合設館目的,依據館藏政策→學科範圍領域,資料類型,內容深淺。提供符合讀者需要的資料,分析館藏使用情形,解讀本校及社區地理與人文背景,配合教學需要,力求均衡發展,使館藏不獨偏某學科、某領域或某類型之資料。尋求鄰近文化機構之合作關係,以期互補有無,以滿足讀者,充分運用經費,使有限的經費發揮無限的功能,提供最佳的服務。

選書與讀者:

圖書館為服務讀者而生存,需適合讀者需求,圖書館也應教育讀者而提供高水準的讀物,依選書政策選書並對讀者解說選書原則,俾讓讀者瞭解圖書館在有限的預算之內優先為讀者選擇最佳資料,並藉圖書館利用指導或圖書館活動來培養或改正閱讀習慣。

選書政策的重要性:
  1.規劃館藏發展的文件
  2.館內及對外溝通的工具

選書政策的重要內容:
  1.服務主要對象

---

❸　同註❷第9,10,11條。

2.學科範圍

3.特殊資料選擇政策

4.贈書處理原則

5.選書工作責任與選書工具

6.館際合作計劃與讀者意見處理原則❹

良好的選採（書）制度：

妥覓經費來源：「讀者、讀物、場所」是圖書館的三元素，老師、學生、職工與家長是現成的讀者，教室或活動中心隨便撥個角落或房間也可算是場地，台灣省教育廳配發的「中華兒童百科全書」與「中華兒童叢書」❺算是基本讀物，僅僅這些書是不夠的，倘若有固定的預算編列最好，財源有限，似乎有更急需的施政要推行，因此購書預算是不可能在預算書中出現的，圖書館不能不開門，要開門就不能沒有圖書與資料，只好自籌經費。

社會資源的運用：

國民小學依規定不得向學生收學費，所有收支均依賴政府預算的撥付，欲想「自籌經費」只有運用社會資源，館藏是圖書館的命脈，故選採不爲一己之私爲滿足，且以廣大的讀者群爲著想，在有限的預算下，欲得最上乘而又爲讀者所喜愛與需要資料，必先有良

---

❹　吳明德，薛理桂編著，圖書選擇與採訪，台北縣蘆洲，空中大學，民84，頁21-22。

❺　台灣省教育廳兒童讀物小組編輯，中華兒童百科全書，（台灣省教育廳台灣書店，民67-75）；台灣省教育廳兒童讀物小組編輯，中華兒童叢書，（台灣省教育廳台灣書店）。

好的制度，方不致因個人因素而偏離方針。

一、資料的分配

㈠資料的分配依使用者分

1.教師用書佔百分之幾？

2.學生用書佔百分之幾？

㈡依資料類型分（圖49）

1.印刷性圖書佔百分之幾？

2.期刊佔百分之幾？（兒童期刊甚少故佔比率較小）

3.視聽資料（除電子資料外）佔百分之幾？

4.電子圖書佔百分之幾？（電子資料漸多故佔比率稍增）

5.立體（教具）資料佔百分之幾?

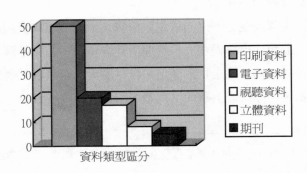

圖49　資料類型區分

㈢依使用性質分（圖50）

1.參考用書佔百分之幾？
2.兒童讀物佔百分之幾？
3.教師進修用書佔百分之幾？
4.消遣性書刊佔百分之幾？

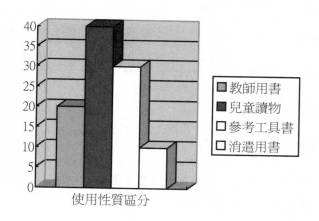

圖50 使用性質區分

　　就某校購書經費四十五萬元為例，依使用性質與資料類型之百分比計算，該館使用經費如下表：

資料類型＼使用區分	印刷資料	電子資料	參考工具書	立體資料	消遣資料	合計	百分比
教師用書	45000	18000	15300	7200	4500	90000	20%
兒童用書	90000	36000	30600	14400	9000	180000	40%
參考用書	67500	27000	22950	10800	6750	135000	30%
休閒資料	22500	9000	7650	3600	2250	45000	10%
合　　計	225000	90000	76500	36000	22500	450000	100%
百分比	50%	20%	17%	8%	5%	100%	

二、選擇資料的標準：

㈠內容

1.是否適合讀者心理年齡（如所用辭彙）？

2.是否適合社會道德標準？

3.是否具啟發創造意識？

㈡形式

1.字體大小（以目前電腦用字為例，低年級用16或18號字，中年級用14號字，高年級用12號字，國中以上用12號字，且以標楷體為佳）。

2.文字與插圖比例（插圖：低年級50%以上，中年級25%以上，高年級則可不限），最好彩繪。

3.紙質以印書紙（不反光）爲佳。

4.裝訂堅固美觀，尤以立體更受歡迎。❻

第三節　館藏類型

　　學校規模有大小之分，館藏亦有多寡之別，但是兒童的需求卻相同，只要存在於宇宙間的知識、技能、方法……等等的資訊都是他們所想獲得的。所以每一類型資料都有所需要，雖然受限於預算不能也無法齊全，但起碼各類型皆有代表性以提供小朋友認識。

一、圖畫書

　　圖畫書，在日本稱爲「繪本」，英文爲「picture books」，顧名思義是一種以圖畫爲主，文字爲輔，甚至是完全沒有文字，全是圖畫的書籍。全書以幾幅至數十幅圖畫爲一冊書，藉由每幅圖畫間的聯繫能表達一個彼此有關係、或連接、或互爲因果的故事或情境、或美感經驗，整冊圖畫書本身爲一個完整的、不可分割的作品。這一類書籍特別以圖畫強調視覺傳達的效果，一般版面較大且印刷也較爲精美，不僅具有輔助文字傳達的功能，更能增強主題內容的表現，所以稱之爲「圖畫書」。

　　這些書籍中的每一幅畫，都可能依據圖畫的色彩、造型、媒材、配置、明暗，呈現它的主題，獨立代表一個情境或一個故事；也可經由數幅圖畫間相互串連形成一個更完整的故事或事件，形成完整

---

❻　蘇國榮，圖書選擇與採訪，http://mail.nhltc.edu.tw/~su/lib/lib29.ppt。

的「圖畫書」。

二、漫畫書

我們所稱「漫畫」又稱「連環圖畫」，英文稱「comic strip」，嚴格地說它也是「圖畫書」的一種，只是它的繪畫以「簡單」的筆法，將重要的意義表現於繪畫上，而且「多幅連貫」形成單元或一完整的故事或事件。

三、童蒙書

兒童啓蒙教育之書籍謂之「童蒙書」（圖51），過去農業社會時代，經濟不發達，人民生活困苦，而且教育並不普及。因此，「童蒙書」能長久流傳，更深入社會，普遍爲人們所接受，它傳授基本知識、進行道德教育。採用易於上口、易於記憶的形式爲其特點。

圖51　弟子規

古代的童蒙書大都以傳統的倫理思想爲主軸，如「小兒語」❼、

---

❼　小兒語，相傳明朝呂德勝所撰，呂氏河南寧陵人，本書旨在教導「立身、處世」之道，有諧音押韻之感，多俗俚，讓兒童聽了感覺快樂又易於瞭解，所以稱「小兒語」。在「吹、呼、嬉、笑」之間，談論著「義理身心」的道理。爲明清之際頗有影響力的啓蒙讀物，書中的「四言」、「六言」、「雜言」都是俚語俗字，所以流傳很廣。

「弟子規」❽、「女兒經」❾等，亦有識字、史地，如「三字經」
❿、「千字文」⓫、「百家姓」⓬、四言雜字⓭、「四季雨晴星歌」

---

❽　弟子規，相傳為清李毓修撰輯，原名為「訓蒙文」，經過賈有仁修訂後，
　　才改名為「弟子規」。是教導「禮儀規矩」的書籍，對幼年兒童「品德涵
　　養」的引導規範有極大的幫助。是一部很好的啓蒙讀物。

❾　女兒經，原書相傳成於明朝，作者已無法考，經多次增刪，廣傳民間，為
　　傳統禮教的通俗讀物。至清朝中葉同治年間，賀麟瑞修訂而稱「改良女兒
　　經」，書中輯錄儒家學者的相關學說言論，佐以歷代名女人的典型人物故
　　事，文體多押韻，故事生動感人。主要以規勸婦女「遵三從」、「行四德」，
　　為「賢妻良母」，其中多為人處世的道理。

❿　三字經，傳為南宋王應麟所撰，也有人說是宋朝末年區适子所撰，明清兩
　　代續有增刪，本書以「之」字韻語為句，所以稱「三字經」。內容廣泛，
　　如自然、社會、倫理、生活處世都包含，尤其將三皇五帝、夏商周秦，直
　　到明清史事之敘述，簡潔而詳實為人所稱道。與「千字文」同為古代流傳
　　全國的童蒙讀本，近代章炳麟有重訂本，各地版本頗多，可見流傳之廣。

⓫　千字文，周興嗣輯錄王羲之遺書中一千個不重複的單字，周氏將它編輯成
　　四字一組的「韻語」，平順如白話，順口易讀易誦，很快就被「啓蒙塾師」
　　列入重要教材，因而流傳廣佈，風行各地，自隋代以降，各朝之注解本、
　　改編本及續編本頗多，是影響我國童蒙非常深遠的童書。另有「閨訓千字
　　文」，為古時專為女性兒童編寫的啓蒙讀物，以教導女子「守婦道」、「習
　　女事」，成為「賢妻」、「良母」，以遵「三從四德」之古訓，文中對「待
　　人處事」之道頗值參考。我國自班昭的「女誡」一書開始，就有許多這類
　　通俗讀本出現。

⓬　百家姓，相傳是北宋時編撰的，作者不詳，書中蒐集單姓四百零八，複姓
　　三十，全書均以「四字為韻」，平順易讀，為一家喻戶曉、婦幼皆知的童
　　蒙書籍，歷代版本眾多。因編於宋而遵「趙」為首，至明代所編「皇明千
　　家姓」則以「朱」字為首了，到清朝則有「御制百家姓」改以「孔」姓為
　　首，但是流行的仍以宋之「百家姓」居多。

⓭　四言雜字，為古時流傳最廣的「識字」讀物，以「韻語」編成，「隔句」
　　押韻，內容廣泛，生活領域中「常用字」均行收入，頗具「實用價值」。
　　我國自古以「倫理文化」著稱，故這些市井小民常用言語，未能登大雅之
　　堂，所以用「雜字」為名。

⓮、「朱子治家格言」⓯。

四、參考工具書

　　所謂「參考工具書」就是英文所稱「reference book」，專供參考使用的工具，通常只提供檢索、查閱、翻檢、解決疑難與蒐集或查證資料之用，不需從頭至尾閱讀，其內容之編輯與排列特殊，且有特別檢索之索引以利於檢索使用，所蒐集資料廣泛，尤其是綜合性工具書。例如：字典、辭典、百科全書、索引摘要、地理資料、傳記資料等。

　　「參考工具書」在學習與研究上是不可或缺的工具，就如同木匠之不能缺刀斧一般，在我們閱讀時發生疑惑需要解答時，用以翻檢查閱，所以，圖書館必需為讀者備妥各類「參考工具書」，方便讀者查閱解困。

⓮　四季晴雨星歌，是一部傳授「氣象知識」的通俗讀物，過去童蒙讀物中，這類資料不少，一般民眾接受正規教育不易，因此，這是他們獲取知識的重要管道。

⓯　朱子治家格言，又稱「朱子家訓」。為清初朱柏廬所著，為其教子之作，要求子女勤勞節儉，安分守己。語言中肯，發人省思，廣傳民間，部份語句已成「成語」，廣傳應用，刻本眾多，因此，文字稍有差異。

圖52　參考工具書

　　由於「參考工具書」（圖52）的種類繁多，且各類書籍之編排、
內容之範圍、使用方法都未能一致，讀者使用起來一頭霧水，因此
如何使用「參考工具書」就成為另一難題，因此，使用『「參考工
具書」的「參考工具書」』應運而生，它專門指導「參考工具書」
的用法等相關資料，所以「參考工具書指南」或書目、專科文獻指
南、期刊指南等「參考工具書」的「參考工具書」也宜購置，以利
教師及圖書館工作人員實施圖書館利用教育。

五、兒童讀物

　　所謂兒童讀物是指專為兒童閱讀而撰述的作品（圖53），包括童謠、童詩、童謎、寓言、童話、神話、傳說、兒歌、改寫的文學名著、兒童文學、兒童報導文學、科幻小說、兒童創作、兒童故事、兒童電影與電視劇本、兒童散文、兒童藝術與休閒遊戲讀物等。

圖53　太陽伊娜的故鄉和揭開老照片的秘密

　1.**童謠**：

　　兒童的歌謠，與兒歌一樣流傳於兒童間的一種作品，唸起來非

常的順口，甚至句尾有押韻，爲低幼兒所喜歡。

2.童詩：

以宜合兒童閱讀、符合其心理需求且能瞭解賞析的詩歌，有敘事詩、諷刺詩、抒情詩。

3.童謎：

專爲兒童以猜測的隱語，暗射事物或文字，它的謎面結構較成人謎語簡單而直接，易於領會。

4.兒歌：

兒歌有兩種，一爲大人唱給小孩兒聽的如「搖籃曲」，一爲小孩兒自己唱的，有「繞口令」、「連鎖調」等，一般使用疊詞疊韻較多，順口易唱易記，內容活潑。

5.寓言：

它是一種隱含著諷喻意義、簡短而小朋友易於領會的小故事，內容明顯，所喻意義較成人寓言淺顯。

6.童話：

這是兒童最爲喜歡的一種讀物，它帶有濃厚的幻想色彩，多半爲「擬人化」手法描繪，將兒童帶入虛幻世界，它與兒童故事最大區別於童話不受現實生活所拘束，它不會寫眞人眞事，而是以誇張、虛幻的將動、植物或自然界星斗等擬人化來幻化現實生活。

7.神話與傳說：

神話是指將過去英雄神格化或宗教性之神仙故事，內容以虛構且以事物起源或對自然現象的說明爲多，其主角大多以神、鬼與怪爲多；傳說則爲過去留傳下來某人之特殊事蹟，雖然偶爾也會誇大其辭，但總有或多或少的事實根據，其主角則以人爲主，這是它與神話的差異。

8.兒童報導文學：

以兒童事蹟爲主要報導之文學作品，如孝悌楷模事蹟報導、某班學生優良事蹟報導等。

9.改寫的文學名著：

中外許多世界名著，對兒童來說是艱深難懂，因此，用心的兒童文學家就將它翻譯、改寫成爲簡短而易讀易懂的兒童文學作品，讓兒童早日享受名人的薰陶。如改寫後的紅樓夢、三國演義、包公案、約翰克利斯多夫、戰爭與和平等。

六、影音資料：

有聲圖書過去爲低幼兒的最愛，也是視障兒童的最佳伴侶，如今動畫影帶之出現，即成爲兒童之寵兒，因爲它有聲、彩色、還會動，更引起小讀者的興趣，但是，它需要輔助器材方能播映使用，而這些設備價格稍昂且使用方法與技術要求較嚴，無法大量購置，因而未能普及每位讀者自行使用。

七、立體資料：

　　所謂立體資料就是除了平面印刷資料、電子資料與音影像資料之外，如玩具、模型、標本與實物之類的資料，這類資料對兒童之觸覺、視覺感官之成長助益特佳，尤其是殘障兒童最為需要，只是典藏之場所宜特別規劃。尤其是「玩具」，吸引一般兒童流連忘返，對殘障兒童更是一項「遊戲治療」，收效宏大，如高雄市前鎮區的「調色板玩具圖書館」、香港「東華三院徐展堂學校玩具圖書館」（圖54）就是最好的例子。

圖54　玩具圖書館一角

圖片取自:香港東華三院徐展堂學校玩具圖書館網頁

（http://toylibrary.twghtttsp.edu.hk）

八、期刊：

近年來針對兒童所出版的期刊逐漸蓬勃，尤其數理與語言方面一枝獨秀。

九、電子資料庫：

電腦是二十世紀末期的重要產物，在這二十一世紀的初期，已經成爲人人所不能缺離的必需品，形成人們必備的「工具」或生活中的「零件」，因此，電腦在許多國家與地區來說，尚處於「奢侈品」，但是在號稱「科技島」的台灣，已是學生的必備「工具」，所以，如何指導兒童運用科技產物「電腦」來蒐集、探索、啓迪、發現他們新知，進而引導他們探究知識，以期來日造福社會。

因此，圖書館是否應提早規劃採選合適的「資料庫」，發掘優良的「網站」，擴充館內「網路設備」，提升館員「電子」、「資料庫」、「網路」等相關資訊能力，以提供較優良且高品質的服務。圖書館的任務之一就是提供各類知識的媒體供大眾使用，也因爲媒體的電子化而有所謂的電子館藏的產生，並且逐漸在館藏中扮演著舉足輕重的角色。

近年網路興起，電腦知識與技術之進步，光碟資料庫開始由單機走向網路，提供透過網路傳輸的服務，突破圖書館的圍牆，使資訊的利用與傳播，觸角伸到各個角落達於讀者的家中或課室。國民小學電腦與資訊的教學有如雨後春筍般蓬勃推展，網際網路（Internet）及全球資訊網（World Wide Web，以下簡稱 WWW）之風行，將電子資料庫的型態打破時空的限制，也提供簡易而人人會用的檢

索服務，使得資訊之取得達到無遠弗屆的境界。

　　爲了使大家對「電子資料庫」有所瞭解，先作簡單的介紹。

十、依內容分

㈠書目／索引型：

　　這是目前電子資料庫之主要類型；利用電腦快速處理資料之特性，藉由作者、書名、關鍵字及布林邏輯（AND、OR、NOT）之合理運用，提供蒐集書目資料之功能；但要注意的是，這類型的資料庫大多僅限於提供書名、作者、出處、文獻類型、摘要等資訊，或進而包括館藏單位，無法直接取得原文；欲獲取原文，需經由館內找到紙本資料複印或借閱，若本館無典藏，則可利用館際合作或再查詢其他全文型資料庫。也因傳輸與掃瞄技術的精進，此類資料庫逐漸爲「全文型」資料庫所取代。

㈡全文（提供原文）型：

　　只要進入這類資料庫就可獲取原文之影像掃瞄檔或文字檔，免去找原文之麻煩。

㈢參考工具書型：

　　將字典、百科全書、統計、手冊、地圖等工具書電子化，利用電腦優越快速週密之檢索功能，獲得更完整之資訊。

㈣目錄型：

　　此類型資料庫可分爲兩種，一爲針對某主題彙編資料，例：圖

書目錄、分類目錄；另一則針對資料館藏地加以彙編，以利查詢資料館藏地點，進而進行館際合作，例：聯合目錄。

十一、依連線方式及檢索介面分

包括光碟資料庫、WWW 版線上資料庫及線上資訊系統，還有以數據機（modem）專線撥接的線上資訊系統。

㈠光碟資料庫：

目前光碟資料庫為各館電子館藏之大宗，涵蓋中、西文，多達數百種，提供教學及各類學術研究之需要。依連線方式可分為單機版及網路版：

1.單機版：

各種單機版資料庫均安裝在各館藏所在地的特定 PC 上，使用時需親至館藏所在地（總館光碟室或各分館）辦理借閱，並在該館使用，同一資料庫同時僅能供一人使用。

2.網路版：

透過通訊協定之設定、利用工作平台連接光碟網路伺服器，提供給校園內辦公室、研究室、宿舍等地連線使用，二十四小時服務，且可多人同時使用。

㈡ WWW 版介面：

近年來，由於 Internet 與 WWW 之盛行，讀者可直接使用瀏覽器開啟資料庫查詢，不僅連線方便，更使資料庫的檢索介面趨向簡單、親和的方式，讓使用者容易上手操作，完成檢索、儲存、列印

的工作。經由 Internet 連線 WWW 檢索國內外資料庫，查詢最具時效且資料量龐大之資料庫，此類資料庫與光碟最大不同之處，在於是由圖書館與資訊供應商簽約，獲得授予使用權。圖書館並未擁有資料庫實體，只擁有使用權，同時，因為需透過 Internet 連線，檢索時會受網路使用量及傳輸速度的影響，但其優於光碟資料庫之處，對讀者而言，在於可提供較即時性之資料；對圖書館而言，可以不需增加硬體設備及維護人力、成本，為未來本館電子資料庫訂購之走向。

十二、電子資料庫適用時機

瞭解電子資料庫內容及利用以後，也要瞭解何時需要它，其適用時機是什麼？

㈠蒐集書目資料：

若針對某主題蒐集資料，只需依問題性質選擇適用的資料庫，輸入關鍵字（詞）後，藉由電腦快速查詢資料之特性，即可輕鬆找出相關資料。

㈡覆核書目正確性：

若您曾有因參考書目出處錯誤找不到原文的不愉快經驗，電子資料庫是覆核書目的最佳工具；由於資料庫所收錄之期刊、會議記錄、圖書、技術報告之種數，動輒數百、數千種，因此往往可作為覆核書目是否正確之用。

㈢**查閱各種資料、數據：**

由於某些資料庫為電子版的參考工具書，因此除具備參考工具書原有之特性及內容外，更具備快速查檢之優點。

㈣**獲得原文：**

由於出版商大量使用電腦處理文獻，除提供線上即時訂購功能外，有些亦進而製作全文型資料庫（Full-Text Database），立即線上提供原文，俾使用者輕鬆地獲得全文，省卻在汗牛充棟的書堆中，找尋原文之麻煩。

第四節　館藏評鑑

館藏評鑑可分為量的評鑑、質的評鑑及讀者使用分析三種。

一、量的評鑑：

館藏量、讀者平均冊數等。依「國民小學圖書館設立及營運基準」第十一條規定：國民小學圖書館館藏基準為圖書資料六千種或每生四十種以上，期刊十五種以上，報紙三種以上。

二、質的評鑑：

㈠**書目核對法：**

依據標準書目評鑑。

㈡引用文獻分析法：

從各項專題研究資料分析其所引用文獻研究，評鑑館藏中媒體資料提供學術研究之效能，這部份國小圖書館較弱。

三、讀者使用分析：

㈠流通分析：

統計教師與學生類型與圖書類型數量，利用統計資料比較使用者與流通量關係，以調整圖書媒體採選類別之運用。

㈡讀者意見調查：

利用 OPAC 針對館藏問題，做讀者意見調查，將問卷置入 OPAC，定期檢視讀者意見，予以統計參考運用。如：

a.使用者一般滿意度（general satisfaction）：從問卷抽樣統計暸解。

b.圖書資料流通數量（circulation）：由借閱統計取得是項資料。

c.館內圖書資料使用數量（in-library materials use）：從抽樣館內閱覽桌所遺存之資料統計來暸解。

d.圖書資料使用總數量 （total materials use）：將前面兩項資料相加之總和即是。

e.圖書資料供應情形（materials availability）

f.圖書資料提供之延誤（缺乏）情形（requested materials delay）：因館藏不足，讀者不得不經由館際合作從他館取得資料以服務讀者的情形。

g.圖書館及其設備之使用情形（facilities and library use）：可從
　　視聽器材或其他附屬器材之借用而瞭解。

h.使用者到訪圖書館次數（attendance）：可運用讀者進館人次
　　之統計得知端倪。

i.使用者在館外使用圖書館次數（remote uses）：因館藏不足，
　　讀者不得不到他館取得資料的情形。

J.使用者到訪與在館外使用圖書館總數（total uses）

k.圖書館設備使用率（facilities use rate）

l.流通及參考等服務使用人次（service point use）

館藏品質的良窳影響讀者進館的意願，更影響我們的品質，因
此，我們常用五個 W 來思考：

1.Who 誰是圖書館的讀者與潛在讀者？什麼資料吸引讀者，我
　　們有什麼資訊可以滿足他們的需求？

2.What 什麼是他們所需的資訊？3至5年內這些小朋友、老師需
　　要什麼樣的資訊？

3.How 他們如何得到資訊？我們可以提供嗎？如何建立這種分
　　析的能力？使讀者愉快且滿足他們檢索，助其學習與教學。

4.Where 我們怎樣掌握資訊來源？如何及時且有效地提供給我
　　們的讀者與館員？

5.When 我們怎樣能於第一時間提供資訊服務？服務時間能否
　　爲長期而不間斷？

至於圖書資料評鑑的方法，可經由以下幾個途徑來著手：

1.內容：正確、新穎、客觀。

2.著者的權威性：學經歷，相關著作，在該領域之評價。

3.出版者的權威性：出版過該領域之書籍資料否？評價如何？

4.編輯：內容安排合理順暢，敘述清晰易讀，術語正確。

5.索引參考書目齊全。

6.其他：紙張反光否，韌度如何，油墨析平均，彩色眞實，裝訂牢固。

選書與讀者：圖書館爲服務讀者而生存，需適合讀者需求，圖書館也應教育讀者而提供高水準的讀物，依選書政策選書並對讀者解說選書原則，俾讓讀者瞭解圖書館在有限的預算之內優先爲讀者選擇最佳資料，並藉圖書館利用指導或圖書館活動來培養或改正閱讀習慣。

選書政策的重要性：

　1.規劃館藏發展的文件

　2.館內及對外溝通的工具

選書政策的重要內容：

　1.服務主要對象

　2.學科範圍

　3.特殊資料選擇政策

　4.贈書處理原則

　5.選書工作責任與選書工具

　6.館際合作計劃與讀者意見處理原則

第五章　人力資源的規劃

第一節　國民小學圖書館的組織

　　過去圖書館法尚未公佈，國民教育法中沒有圖書館的位置，所以國民中小學圖書館的設置受到的極大的限制，為了教學的需要，棲身於教務處的設備組之下，國中設圖書管理員一人，而國小則無任何編制人員之設置，只好於國民學校設備標準中設置「圖書教師」由教師兼任，在二十五班以上有設備組的國小均由設備組長兼任，十三班以上無設備組而其業務劃歸教學組，故依法應由教學組長兼任，但一般學校因教學組業務過於繁忙，所以圖書教師則由一般教師兼任。

　　國民中小學為配合教學與人力之不足分配，所以依校務分掌將教具（立體資料）、圖書、視聽資料與器材等都歸圖書教師管理。因此，各校因其工作繁忙，均佐以工友或技工協助，也有以職員為助理者。除此之外，許多學校已募集家長或退休教師等為志工，亦有訓練小朋友為小小圖書館員來協助者。

　　雖然教育部在國民小學圖書設備標準中規定「各校應由校長指

派『圖書教師』一人處理館務」，班級數較多者得增圖書教師一至三人，其規定如下：

　　　圖書教師：應受圖書館專業訓練（但是目前實際卻很少具有圖書館專業訓練者）。

　　圖書館法公佈後，據圖書館法而制定「國民小學圖書館設立及營運基準」，依據此基準之規定，「無論公、私立國民小學應設『圖書館』」。依據學校規模大小分別設置「圖書館主任」或「圖書組長」，總理館務。❶

　　目前分佈於台澎金馬地區之國民小學，由於政府極力推展國民教育，因此，不論都市、鄉村、平原、高山、農村、漁港、離島遍及全國，更因便於人民的就近入學，較繁華之處，一村里數小學之設，較郊區之僻壤也至少每一村里一小學，在三百二十餘鄉鎮中，設置二千五百餘所國民小學。因此，規模之大小與人口居住之密集度成正比，從一所學校僅四班至一所學校二百餘班者，各校教職員及學生之人數，亦由數十人至萬餘人之譜，可謂異常懸殊，經營管理不易，為顧及實際需要，我們以少於二十四班，二十五班至四十八班間，及四十九班以上為區分，設置圖書館組、圖書館主任分別敘述其組織與職掌。

一、四十九班以上之國小圖書館（圖55）

　　處於都會邊緣的大型學校，動輒一百多班，甚至兩百多班❷，

---

❶　見教育部令，<u>國民小學圖書館設立及營運基準第五條</u>，民91.10.30公佈。
❷　蘇國榮，國民小學班級數統計 http://mail.nhltc.edu.tw/~su/eda/eda15.doc。

在校長之下宜設圖書館委員會，以為圖書館業務之諮詢，至於圖書館委員之成員除校長、各處室主任、圖書館主任為當然委員外，各年級主任、各科教師代表、家長會委員、學生代表及社區公共圖書館等至少各推派一位為委員，共同組圖書館委員會，主任委員得由校長兼任，或由圖書館主任擔任。委員會主要任務為圖書館經營方針之訂立與諮詢。

　　大型學校，人多事雜，因此分工宜較細，依據「國民小學圖書館設立及營運基準」第五條「國民小學圖書館應設組長或幹事；班級數二十五班以上得設圖書館主任一人，由具圖書資訊專業之教師兼任」之規定設置「圖書館主任」一人，以綜理館務，代表圖書館參加各項會議。第六條「國民小學圖書館設有主任者，得視業務需要分組辦事，各置組長一人，各組得設幹事若干人。」

　　學校規模較大，服務讀者數較多，為提高服務品質，宜分「技術服務組」、「讀者服務組」及「資訊服務組」三組，分別設組長各一人，以專責該組服務事項。

　　至於「幹事」之設置，依目前政府財政狀況無法設置專責之圖書館幹事，但可於原有編制之幹事中調派兼辦圖書館相關事務。

　　目前因為「國民小學圖書館設立及營運基準」剛剛公布生效，各校均尚未設置圖書館主任。且法令條文用字是消極性的「得」字，而非積極性的「應」字，各縣市政府或教育局為了節省人事開支，可能將視設校歷史與規模大小為核准設置「圖書館主任」的準繩。

　　若圖書館設「圖書館主任」，則其地位提升為學校一級單位，責任亦形加重，主任必需參加學校重要行政決策會議，同時也需提出業務績效報告。因此，館務工作必積極並力求發展，以彰顯功效

而能立於各處室之間，對圖書館教育之發展有其正面的意義。

國民小學圖書館組織圖

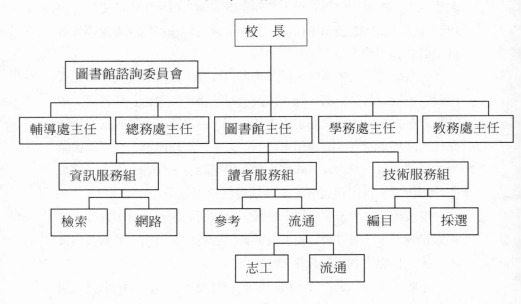

圖55　四九班以上國民小學圖書館組織圖

　　至於有關「圖書資訊專業」之認定，可依據臺灣省政府公報八十七年春字二十二期之規定：「高中圖書館主任應有專業知能須符合以下條件之一者：⑴大學本科系畢業者。⑵高考相關類科及格者。⑶參加圖書館專門科目二十學分進修者。」因此，國民中小學圖書館主任之專業資格可比照辦理，唯第⑵「高考相關類科及格者」，

可放寬爲「公務員高等或普通考試相關類科及格或同等級之特考及格者」。

二、二十五班以上四十八班以下國小圖書館（圖56）

因爲教職員生人數較大型學校稍微減少，相對的經費也減少，服務的對象也少，所以設置「圖書館主任」一人以綜理館務外，因

國民小學圖書館組織

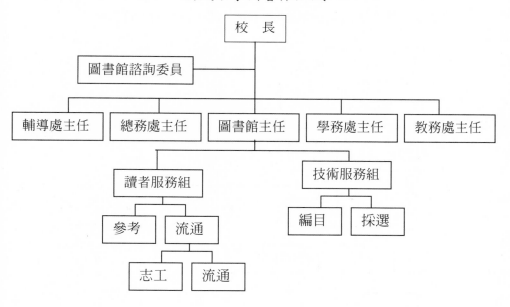

圖56　廿五至四八班國民小學圖書館組織圖

學生人數仍多，所以業務則分設「技術服務組」、「讀者服務組」兩組，各置組長一人，而資訊服務組之業務若屬資訊技術部份則由技術服務組承接，如爲諮詢部份之網路、資料檢索等則融入讀者服務組，以期館務正常運作。關於「幹事」之設置，如同四十九班以上之學校一樣，依目前政府財政狀況無法設置專責之幹事，但可於原有編制之幹事中調派兼辦圖書館相關事務。

三、十三班以上二十四班以下國小圖書館（圖57）

由於學校規模較小，依據「國民小學圖書館設立及營運基準」第五條「國民小學圖書館應設組長或幹事，由具圖書資訊專業之教

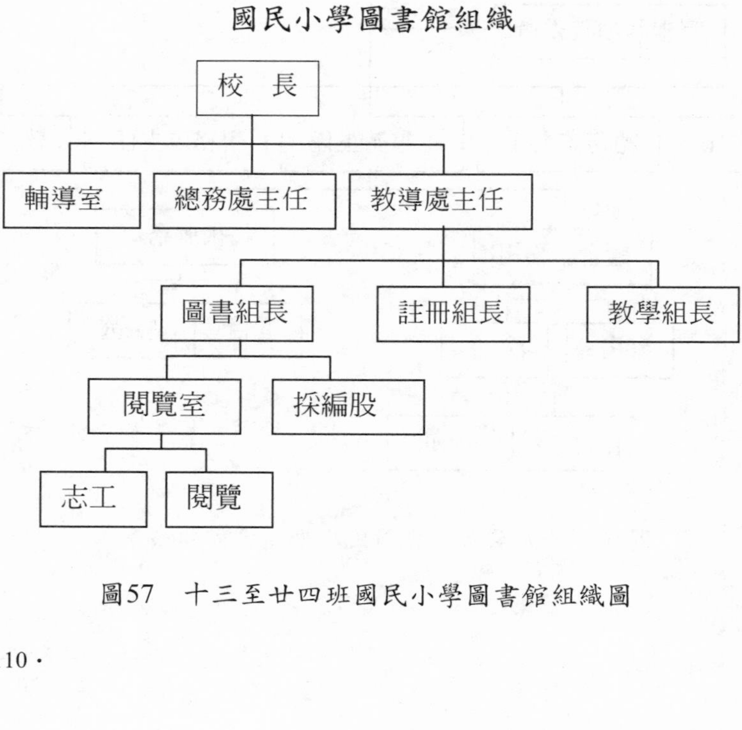

國民小學圖書館組織

圖57　十三至廿四班國民小學圖書館組織圖

師兼任。」因此於教導處下設「圖書組長」一人以綜理館務外，負責館內所有讀者及技術服務工作。

四、十二班以下國小圖書館（圖58）

　　由於學校規模更小，依據「國民小學圖書館設立及營運基準」第五條「國民小學圖書館應設組長或幹事，由具圖書資訊專業之教師兼任。」因此於教導處下設「圖書幹事」一人以綜理館務外，由學校職員兼任，負責館內所有讀者及技術服務工作。

國民小學圖書館組織

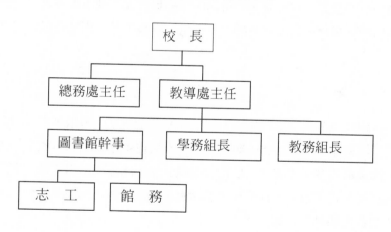

圖58　十二班以下國民小學圖書館組織圖

第二節　職　掌

一、圖書館主任

　　圖書館主任是學校中的一級主管，他的工作在擬訂年度工作計畫，規畫督導全館業務，負責與其他單位之溝通協調，並推展校外館際合作交流事宜，圖書館主任就是本校圖書館的代表，就如同校長代表學校一樣，負責全館計畫之決策者。

　　「圖書館主任」除代表圖書館參加學校內外各項會議外，必需籌畫有關全館業務計劃，交付館內各組執行並予輔導與評鑑，督導各組經辦業務，召開並主持館務會議，對圖書館之經營負成敗之全責。

二、組長

　　組長可分為二十四班以下學校負館務全責之圖書組長，其職長同「圖書館主任」；另一組長為二十五班以上學校在圖書館主任之下因業務需要而設置之「技術服務組」、「讀者服務組」及「資訊服務組」各組組長，其業務職掌除秉承館長之館務計畫並執行外，就其各組職掌分述如下：

㈠「技術服務組」：

所謂「技術服務」，主要是「館內後勤」的工作，主要業務為：

　1.選錄資料入館，舉凡「出版商目錄」、「出版目錄」、「讀

者推薦圖書目錄」、「書評資料」、「他館目錄」、「圖書館學書目」、「資訊科學書目」及其他有關資料之蒐集與整理，提供師生相關資訊。

2.視預算額度擬定「擬購書單」，並視實際需要將書目資料分別為「第一優先」、「第二優先」、「第三優先」，現有經費購置「第一優先」書目之書籍資料，家長會及其他團體或個人提供經費時則可將「第二優先」、「第三優先」書目之書籍資料購入。

3.購入之書籍資料經法定採購程序完成後，進行登錄與編目及加工，對於使用率過高而破損者，盡可能將之修復，及其他館內之總務行政業務等。

㈡「**讀者服務組**」：

所謂「讀者服務」，主要是「與讀者直接面對接觸」的工作，舉凡「圖書館工作手冊之製作」、「圖書館各項規章之訂定」、「圖書館導覽與簡介之製作」、「圖書資料媒體之典藏、排架、讀架、整架、清點與撤架等業務」、「借還書籍資料的出納」、「疑難問題解答的參考諮詢」、「圖書館利用知能的指導」、「期刊資料的整理與提供服務」、「館際合作業務」、及「圖書館志工的培訓與輔導」，同時也要「協助教師製作教學媒體與蒐集相關教材」。

㈢「**資訊服務組**」：

所謂「資訓服務」，主要是「與電腦有關的軟硬體」的業務，舉凡「圖書館自動化業務的規劃、執行與維護」、「網路之架設與

維護」、「網路資料查檢教育與服務」等相關業務。

三、幹事

在國民小學「幹事」一職就是「職員」，是公務人員系統，因此需具「公務人員」身份才能進用，如果十二班以下之學校欲進用「幹事」時，只要將甄選條件註明需具「公務員普通考試圖書資訊相關類科及格或同等級之特考及格者」即可。

因學校規模較小，相對的服務讀者人數少，經費預算也少，所以資料量不多，相形之下資料處理工作也就較簡單。因此，所有的「技術服務」、「讀者服務」及「資訊服務」均自行規劃處理。

至於大型學校若重視圖書館教育則可能將編制內之「幹事」分配一人依據專長協助館內各組工作之推行，一般學校主要會將「編目」與「流通」工作委之處理，因為教師大部份時間在教室上課，下課十至二十分鐘為學生大量密集進館，倘教師因課務未能及時結束，造成大量同學排隊等候，影響圖書館閱讀之安寧甚大；編目工作是長時間且工作量大的事務，一般教師以教學優先，時間不夠分配於編目工作，因此，幹事因無時間之急迫限制，有較充分的彈性可用時間。

四、志工

「志工」在學校館務工作都由教師兼而未設專職人員，實是相當重要的「人力資源」，他不但提供了人力，解決編制困難，同時也節省公帑的支出，更提升「個人價值」的認定，讓一批有「餘力」與「時間」的人士，貢獻他們的「心力」，服務於有朝氣、有活力

的小朋友，讓教師們有更多的時間與精神從事教學工作，這是一舉數得而有意義的工作。

「志工」的來源可分爲下列幾大類，本校學生、愛心家長、退休人員，分別說明如下：

㈠本校學生：

以本校現有四年級以上學生爲原則，若較大型之學校可組成「圖書館」社團，由圖書館主任或讀者服務組長兼任該社團的指導老師，整個社團活動就在圖書館，活動內容則以圖書館比較事務性業務爲主，如讀者服務之「借還書之流通」、「資料上架」、「讀架」、「整架」、「書架清潔」等，技術服務之編目加工如「條碼黏貼」、「書標的黏貼」、「資料輸入」、「影印服務」。如爲較小型之學校則以一班選二至五人爲原則，相同之工作以分配不同班級同學爲原則，以避免某次因教師於下課時教學未能即時告一段落而延時下課，造成該項工作沒有人而無法進行，尤其每節下課時之「流通」工作，不能有些許的耽誤，否則秩序大亂，若同組志工不同班級，則一人未下課另一人可先行就位，工作即可進行。

㈡愛心家長：

這是一批熱心的家長，不論是愛心媽媽，或是愛心爸爸，還是愛心爺爺奶奶，他們運用剩餘時間前來服務，給我們解決「人力」不足的困境。然而，我們在感謝他們的奉獻之後，就要妥善計劃安排，由於他們有「抵達時間」不確定的因素，因此，工作分配最好不要有「時間限制」的考量，如「資料上架」、「讀架」、「整架」、

「書架清潔」，或「條碼黏貼」、「書標的黏貼」、「資料輸入」，同一項工作最好多幾個人，這樣缺一兩人也不會影響工作之進行。

㈢**退休人員：**

以本校退休之教職員工爲主，他們在本校服務多年，與學校師生有一股「深厚的感情」，又因退休無他事牽絆，無憂無慮，可以任由選擇前來服務時間，而且他們都已經養成「上班習慣」，只要約定到校服務時間一定遵守無誤，這些退休職員技工友，只要我們能以「同事」待之，他們一定以有機會來做這工作爲榮；這些退休的老師們，他們學有專精，可以借用他們的才華，從事「參考諮詢」、「疑難解答」、「協助教師蒐集教材」、「從事圖書館利用教學」、「辦理圖書館活動」等工作。

第三節　人員培育與在職進修

一般人以爲只要認識字，把書借給讀者看，讀者看完後送回來還，排排書，換換報紙，這樣簡單的工作誰都會做，需要什麼專業訓練，這是對圖書館業務尚未瞭解所致，一所服務較爲完美的圖書館，在提供服務之前的準備工作是相當繁複的，也非常精密的，只要一絲絲的疏忽，就影響服務的品質與完美，因此，工作人員的「專業訓練」是否純熟，左右這個圖書館的經營品質。

有關相關「圖書館專業訓練」人員的培育，分別就「圖書館主任」、「組長」、「幹事」、「志工」來說明：

一、圖書館主任與組長

不論圖書館主任或組長，最好是受過「圖書館學」的本科畢業生，否則以透過自學而通過國家公務員圖書博物人員或資訊人員之普通考試及格者，同時還需具備「國民小學教師」資格方能任用，倘若現職國民小學教師未具圖書館學專業資格者，以兼代方式先行任職，待補修「圖書館專業學分」期滿後「真除」，或自行苦學參加「國家公務員圖書博物人員或資訊人員之普通考試及格」後「真除」之。

至於在師資培育機構，可開設「圖書館專業學分」供選修，或設「圖書館教育學系」或「圖書資訊研究所」供學生攻讀，可在畢業後直接任用。如花蓮師院初教系業已規畫「小學圖書館學」、「分類與編目」、「圖書選擇與採訪」、「參考諮詢與服務」、「兒童讀物選讀」、「教學資源管理與服務」、「圖書館利用教育」、「圖書館自動化」、「資訊科學概論」等課程供學生選習。

二、幹事

過去一般國小之幹事都具「國家公務人員普通考試及格」，但是不一定具有「圖書館專業學分」，倘若未具圖書館或資訊專業者，必需再參加圖書館專業學分之修習，或以圖書館學相關研習時數抵充，方能擔任圖書館幹事。一但具此資格且擔任圖書館工作，若在十二班以下的學校圖書館，他的職掌是連同圖書館主任、組長的職務全接管，也就是一人館之館長了。如配置於十三班以上的國小圖書館，其職掌則由組長或圖書館主任分配之。

三、志工

志工所擔任的大多爲非專業之事務性工作或部份重複性工作，因此，我們透過公告招募，通常我們分「學生志工」、「其他志工」與「退休人員志工」三大類，分別說明於後：

㈠**學生志工**：

首先確定所需志工人數，以平均於各班中選出，以自由參加爲主，若自願人數超過所需人數時，以抽籤方式決定人選，未入選者列冊備用，各班選出之志工名單送交圖書館讀者服務組，由組長分配工作與實施職前教育，除了各自主要工作需特別熟悉之外，尚需瞭解兩項以外他種工作，以備其他同學因故無法到館服務時可遞補任事，除此之外我們也宜運用時間，指導圖書館學相關知識，如「認識圖書館環境」、「瞭解圖書館各項規則」、「圖書的結構」、「簡易圖書分類與編目概念」、「排架」、「讀架」、「整架」、「參考工具書的認識與運用」、「剪輯資料的認識、製作與應用」、「閱讀心得撰寫」、「網路資源的認識與運用」、「微縮影資料」、「館際互借」、「圖書館的社會學習」、「非書資料」、「資料庫」等等相關知識，以充實其個人學習生活知能，奠定終生學習基礎，與服務讀者能力。最好把這些「生力軍」組成學校的「學生社團」，一則爲學校的正式團體，增強其「內聚力」，二則有較固定的「在職進修」時間，可以從事圖書館學相關知識的教學，提升其學習與服務能力和品質。

㈡**愛心家長：**

由於經濟蓬勃發展，人民生活水準提高，因而有較多的空閒時間，如能充分運用這些「空閒時間」，做出有意義的事，充實了精神生活，提升了「自信心」，這是愛心家長參與志工活動的「動力」。除了因參與服務得到讀者的「回饋」而獲得「成就感」外，也因爲了服務必需充實自我而落實了「終生學習」的理想。

㈢**退休人員：**

這些獻身學校數十年的長者，如爲教師身份退休，則以參考諮詢與圖書館活動和圖書館利用教育之實施較爲適宜。

第四節　志工的培訓

志工：徵求學生當小小圖書館員，教導他們擔任部分工作。

國民小學圖書館的營運，基本上依據教育部九十一年十月所頒佈的「國民小學圖書館設立及營運基準」規定：針對「教育目標，藉圖書資料之採集、組織、保存與運用，以支援教學活動，培養學生自學技能，輔導學生身心之發展，滿足青年休閒之需要」爲基礎。

唯在實際運作上，各校往往參考「高級中學圖書館工作手冊」所列，發揮「教學支援中心、學習研究中心、品格陶冶及輔導中心、暨知性休閒中心四大功能」做爲經營目標。

民國八十八年六月，「台灣省高級中學圖書館輔導團」委託桃園高中修訂第三版，進一步聲明：學校圖書館是學校組織體系中的

一個單位，也是學校實施教學的一個據點。學校圖書館之經營，應配合學校教育目的，順應資訊發展潮流，以充實館藏，提供服務，促進師生共同參與，時時以「教學資源中心」的角色自我期許，力求發揮下列五項功能：

　　㈠提供教學資源的功能：使圖書館成為學校的第二教室。

　　㈡協助學習研究的功能：培養學生從事自我學習與獨立研究之能力與習慣。

　　㈢輔導品格發展的功能：培養學生遵守法紀、公德心，樂於助人之開闊胸襟。

　　㈣安排知性休閒的功能：蒐集各種媒體，以提供師生視、聽休閒性活動之需。

　　㈤促進終身學習的功能：與社區密切結合，提供資訊，協助讀者終身學習。

A、工讀生

　　學校為了部份家境清寒的小朋友提供「以工代賑」的方式而設置「工讀服務」，一般以午休時間為主。工作項目以黏貼書標、圖書流通、圖書歸架為主。工作是以「時」計酬，補助或協助其「學雜費」或「貼補家用」。

B、學生志工

　　近年來，志工服務逐漸形成風氣，「服務」成為一種學習的方式，學生志工本身也是圖書館的讀者，他們瞭解一般學生讀者的心理，可以協助圖書館訂定更適合學生需要的服務方向；學生志工在

圖書館服務，體會到圖書館經營的困難，當學生讀者對圖書館有所誤解時，他們又是最好的魯仲連。至於志工本身一方面可從工作中獲取圖書館利用的知能與處事技能，一方面協助圖書館業務之推展。例如：當小朋友在學習或閱讀過程中，如果發現某些書籍或期刊很好而且很需要，可以向圖書館主任推介，經審查後，依程序購置，提供使用，這樣，一方面可以解決小朋友自己在學習或閱讀需要，另一方面可以彌補圖書館主任在資料蒐集方面之完整。當小朋友在利用資料的過程中，如果發現某些資料擺放的位置不方便取用，或館內佈置有所欠缺或過度陳舊，都可向圖書館主任提出建議，以期在最舒適和諧與方便的氣氛與環境中，獲得最完美的學習，圖書館主任如認為您的意見有所不適時，也會詳細解釋不能依照您的意見更改的原因。遵守圖書館規則，善於利用圖書資料就是對圖書館最大的協助。它們可以引導小朋友輕聲細語、愛護圖書資料⋯⋯遵守圖書館各項規則，館內必秩序良好，圖書資料亦井然有序，這樣就減少圖書館主任許多負擔，可以多出時間做更多的事，提高更好的服務，如果小朋友善於利用圖書資料解決學習上的疑困，這是圖書館主任最好的鼓勵，也是最悅耳的掌聲。所以，志工對於圖書館的貢獻，絕不止於增加人手而已。

㈠甄選條件

　1.熱愛圖書：對於書籍與資料有所鍾愛，才會感到需要，而生為它服務的情誼。

　2.各科成績及格：不論德智體群美各項成績均達及格標準以上，否則輔導使達到後方錄用。（學生志工）

3.品德優良：無不良記錄。

4.具服務精神：圖書館員必以「利他」為服務準則，應以無怨無悔之心來為讀者服務，所以服務熱忱為重要標準之一。

5.字跡清晰：圖書館內的工作與文字書寫有密切關係，字跡清晰，當然重要。

6.拼音正確：若拼音有困難，行個別輔導，正確後再行錄用，以利中文電腦輸入工作。

7.衣飾整潔：服裝整潔之要求，為一教育措施，且達此要求者工作較為嚴謹。

8.具繪圖或電腦輸入能力者尤佳。

(二)訓練領域

1.圖書館基本知識

a.書碼（索書號）的認識：對於分類號、著者號、部冊號、年代號、作品號與特藏號之認識，可以方便查檢資料與出納作業之處理。

b.各種目錄的認識：書名目錄卡片、分類目錄卡片、著者目錄卡片、標題目錄卡片之認識，用以方便查檢各種資料。目前各館已普遍使用自動化，所以各種目錄改以 OPAC 取代，故對 OPAC 的認識也是必須的課程。

c.館內資料的排架：一般圖書館資料媒體之排列於館內書架的位置稱之為排架，它有一定的排列順序與方法，管理與利用才方便，否則，汗牛充棟的資料，堆積一處，如何檢索，更

談不上利用了。目前普遍採用以「分類號」為依據，即按「分類號」之數字，數值由小而大❸，首先指導依分類號之大小排列，小的在前，大的在後，依序排列（圖59），如有020，

圖59 排架示意圖

005，120.1，308.9，019.1等五本新書，則應依005、019.1、020、120.1、308.9 排列，如果第一次排架時，先將所有書取出，首先把第一位數相同的放一處，如000、100、200、300、400、500、600、700、800、900，全部分開放妥後，再將首位數為「0」的拿來，再把第二位數相同的放一處，如000、

❸ 蘇國榮，圖書分類與編目 http：//mail.nhltc.edu.tw/~su/lib/lib29.ppt

010、020、030、040、050、060、070、080、090，全部分開放妥後，再將二位數爲「0」的拿來，再把第三位數相同的放一處，如001、002、003、004、005、006、007、008、009，接下來就是前三位數相同者依小數點由小而大排列，……餘類推，若分類號所有數字都相同，則再依著者號的大小由小而大排列，要是「分類號」與「著者號」又無全一樣時，請再據「部冊號」或「年代號」之數字排列。若某書裝訂或版面特殊❹以及因管理與使用❺，而需特別另置一處者，則依特藏號標示排列放置。特藏室的圖書排列也跟書庫一樣，即按「分類號」、「著者號」、「部冊號」、「年代號」之數字，一樣數值從小而大，瞭解這一原則之後，不論是找尋資料或處理歸架工作均可事半功倍。

d.各種參考書的認識與利用：字詞典、百科全書、傳記與地理資料、索引等，這些找資料不可或缺的工具，一定要他們認識且熟悉使用方法，唯有這樣才方便服務別人，而且他自己可獲益。

e.剪輯資料的蒐集與整理：經由圖書館主任的指導，對於報章雜誌上有益於教學的論文與各種資料，如何蒐集（影印），如何整理（剪貼），如何分類，如何編號，如何裝訂與利用。

f.摘取大意與心得寫作：對於一篇文章或一本書，如何擷取要意寫成摘要或心得。

---

❹ 版面特殊指寬度大於高度者，或版面特別大或特別小者，或裝訂特殊者，如樂譜、地圖等。

❺ 如參考用書、珍本書等。

2.編目工作

a.網路目錄的查尋、選擇、下載與存檔：首先指導小朋友認識「上網與查尋」的操作與運用。

b.目錄資料的下載與存檔：各國小圖書館缺分類編目人員是不爭的事實，所以要求他們做分類編目是為難他們，但是如果圖書館的館藏不做分類編目又將如何利用這寶貴的資源？說起來是兩難的問題。因此，就以「合作編目」，共同使用的方式，首先由師院圖書館提供已分編完成之書目資料❻，設置網站提供下載使用❼，若國小圖書館上網有困難，另以書目資料光碟片提供直接下載運用。這樣國小圖書館分類編目就有可能運作，圖書館的資料分編完成，則圖書館利用教育的實施指日可待。

我們就以筆者與同事王繁森老師合作開發之清江圖書作業系統為例說明如下：

1.進入清江2000作業系統（圖60）：首先進入該網站。

2.接著進入編目作業模組：「點一下」「圖書編目系統」如箭頭所指（圖61）。

3.點選「圖書編目系統」後出現下圖。

4.請點選「智慧型編目」如箭頭所示（圖62）。

5.點選「智慧型編目」後出現下圖（圖63）。

---

❻ 國立花蓮師範學院初教系，文江實業有限公司合編，<u>兒童圖書目錄光碟資料</u>，（民92）。

❼ 請見 http：//www.wenkiang.com.tw

圖60　清江2000系統

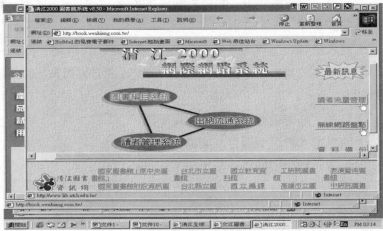

圖61　清江編目模組

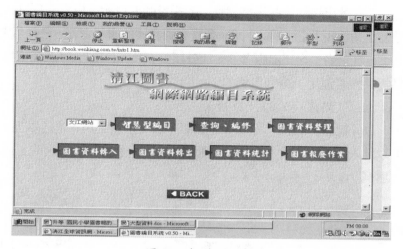

圖62　智慧型編目

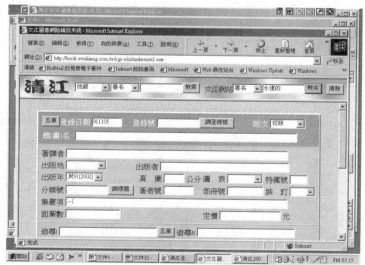

圖63　智慧型編目模組畫面

6.此圖出現的一些表格就是一般編目的款目所需填寫的項目，於右上角出現「文江網站」即擁有廣大資料庫的書目資料，它有「書名」、「著者」、「出版者」、「分類號」及「ISBN」等五種檢索點提供檢索運用，分別舉例如下：

⑴以「題名」（書名）來檢索

以「題名」（書名）來檢索，如手中有「永遠的鳥人」這本書，可以鍵入「永」、「永遠」、「永遠的」……我們以「永遠的」鍵入為例（鍵入越完整越省時省力）：

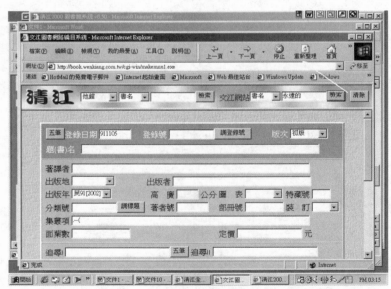

圖64　輸入書名的前幾字

a.鍵入「永遠的」於書名後之表格中後按下旁邊的「檢索」就
　出現下圖（圖64）。

b.這畫面出現一些以「永遠的」為首的書名，但未見「永遠的
　鳥人」（圖65），所以按最底下的「NEXT」，繼續尋找，直
　到找到「永遠的鳥人」為止。如下圖：（圖66）

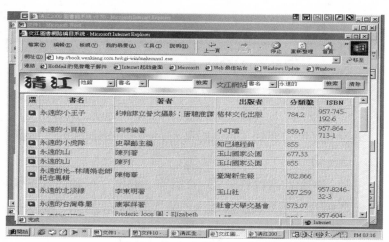

圖65　依書名排列之畫面

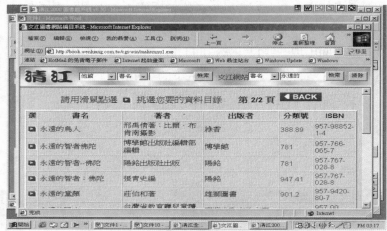

圖66　依序找到所需圖書資料

c.找到了所需要的「永遠的鳥人」，就在它前面的「選■」處
　點一下。

d.於是完整的書目資料呈現在眼前（圖67），仔細核對各項資料
　相符後，將登錄號修改後，請將畫面往下捲如下圖，可以看
　到「按這裡將資料存檔」字樣（圖68）：

e.請依指示點一下就出現下一畫面。

f.在這畫面已出現「這本書已完成編目存檔」字樣（圖69），如
　無相同的書就點「清成空白繼續編目」，點一下就出現下一
　畫面（圖69），準備換一本新書繼續如法泡製即可。

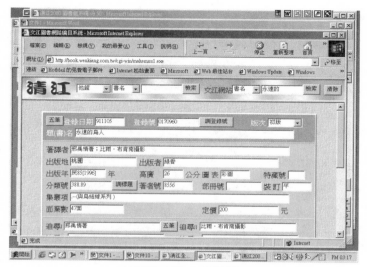

圖67　修改登錄號

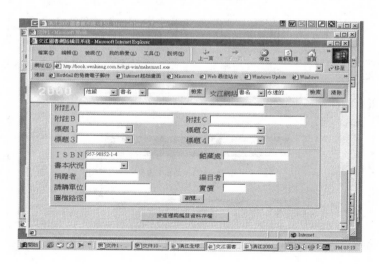

圖68　按此存檔

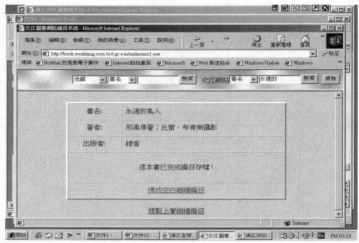

圖69　完成.繼續

圖70　登錄號重複請修正

　　啊！怎麼會出現「對不起！登錄號重複，請重新輸入」的畫面
（圖70），原來「登錄號重複」，因為這筆資料是「copy 資料庫」
的，所以我們把登錄號修正一下即可。

　　⑵以「ISBN」查檢

　　請在畫面右上角文江網站後之▼點一下，於 ISBN 字上再點一
下，表格中即出現 ISBN 字樣，如下畫面（圖71），然後請於▼後之
空格輸入「永遠的鳥人」這本書的 ISBN957-98852-1-4，再點「檢
索」，即出現如下第二畫面（圖72），接下來的操作就如⑴書名檢索
d、e、f項進行即可。

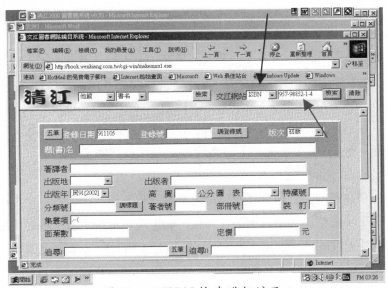

圖71　以 ISBN 檢索進行編目

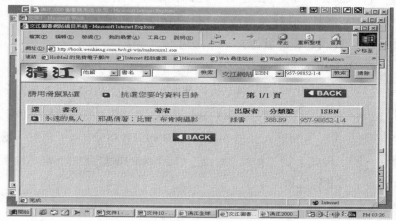

圖72　完成　存檔

(3)以「著者」查檢

　　請在畫面右上角文江網站後之▼點一下，於「著者」字上再點一下，表格中即出現著者字樣（圖73），然後請於▼後之空格輸入「永遠的鳥人」這本書的「著者」，如書名一樣，可輸入姓首字或姓名如「邢」、「邢禹」、「邢禹倩」等，再點「檢索」，即出現如下畫面（圖74），接下來如(1)書名檢索 d、e、f 項進行即可。

(5)以「出版社」查檢

　　請在畫面右上角文江網站後之▼點一下，於「出版社」字上再點一下，表格中即出現出版社字樣，如上圖，然後請於▼後之空格輸入「永遠的鳥人」這本書的「出版社」（如圖75），如書名查檢時一樣，可輸入出版社名稱之首字「綠」或前二字「綠香」，再點「檢索」，即出現如下畫面（圖76），接下來如(1)書名檢索 d、e、f 項進行即可。

圖73　以著者檢索編目

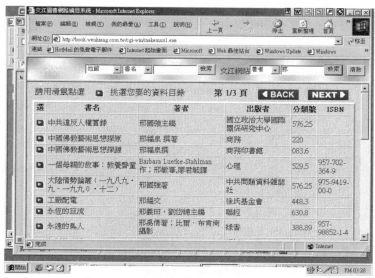

圖74　以作者為序之圖書資料

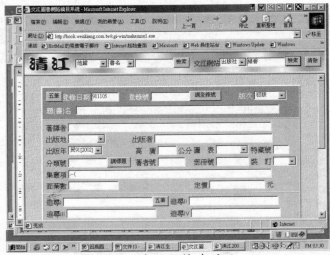

圖75 以出版社檢索編目

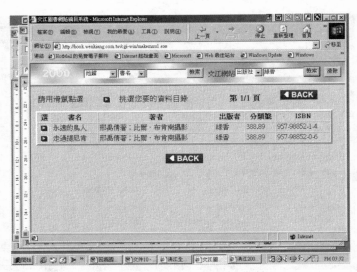

圖76 以出版社為序之圖書資料

　　因此，整個編目作業大多可以從網站上「下載」後稍加修改完成，未受圖書館專業訓練的「志工」稍加解說示範也可完成。

　　如果在文江資料庫中查無此書，可將此書暫時擱置一旁，這類書籍積存一定數量或資料庫中能查的都查過了，就可取用「國家圖書館書目資料」，也就是連線到國家圖書館的國家書目中心，找尋他們已經編目完成的編目資料書目，下載後併入我們自己的圖書資料庫中，以便使用，其程序如下：

　　1 請點選「下載國家書目資料」（圖77）出現下一畫面，請

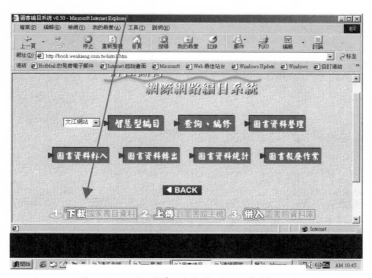

圖77　下載國家圖書館書目資料

點選「連線國家圖書資料庫」（圖78）出現下一畫面（圖79），請依指示填入 ISBN，填妥 ISBN 號碼或請點選這裡「切換其他查詢方式」，改變輸入檢索方法（圖80）如，書名、著者、主題、關鍵字、出版者等，如下各圖：

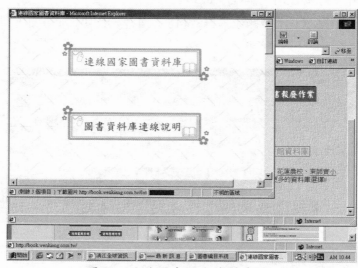

圖78　連線國家圖書資料庫

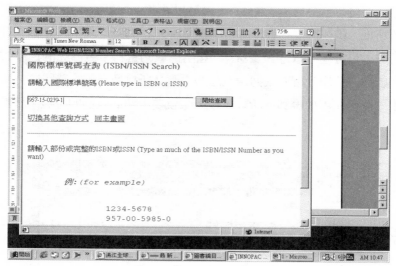

圖79　輸入 ISBN 查檢

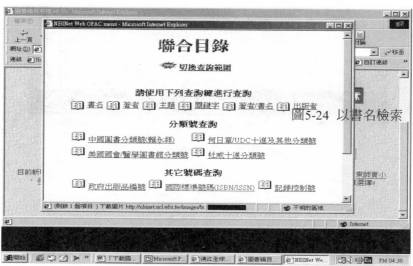

圖5-24 以書名檢索

圖80　切換其他查檢款目

　　這是以書名查詢（圖81），這是以著者查詢畫面（圖82），找到
資料後，請在需要的資料方格中打上「∨」（圖83）符號，準備儲存
下載，最好選「PC」（圖84）。您所選取的資料下載於您的電腦的
什麼地方？用什麼方式傳送至您的電腦？所以您必需將路徑交待清
楚，待會兒才找得到。所以，接下來就要上傳到我們的主機，請點

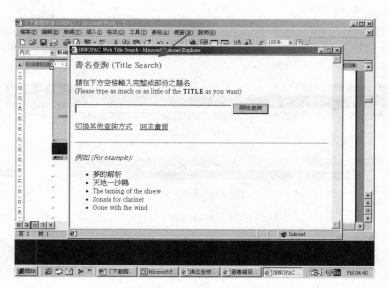

圖81　以書名查檢

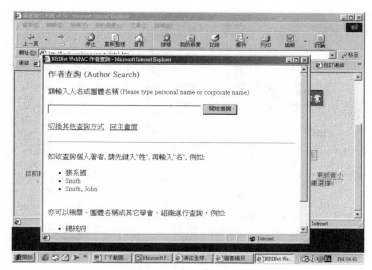

圖82　以著者查檢

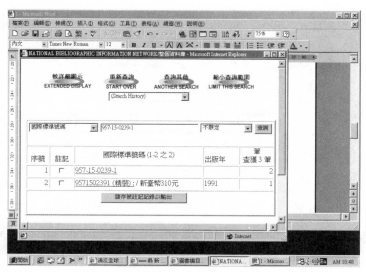

圖83　所得書目準備下載

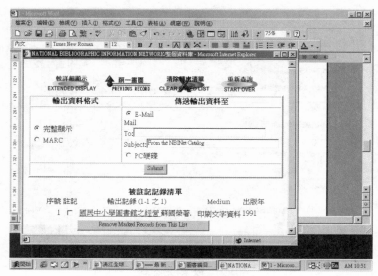

圖84　選下載方式

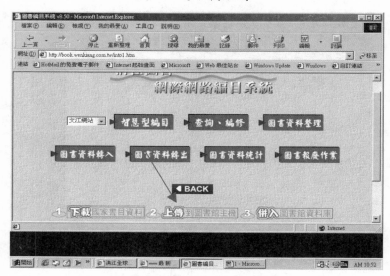

圖85　上傳書目資料

「上傳到圖書館主機」（圖85），接著出現這畫面，鍵入剛才輸入的路徑於此（圖86），請輸入下載資料的路徑與檔名如 export.Txt，要將下載的書目資料上傳到我們自己的網站內，請點選「上傳」（圖87），點選後出現此畫面，上傳完成（圖88），然後併入我們的資料庫，請選併入圖書館資料庫（圖89），輸入密碼（教育片密碼為 milk 圖90），然後點選「送出資料」，出現下一畫面，（圖91）請輸入檔名

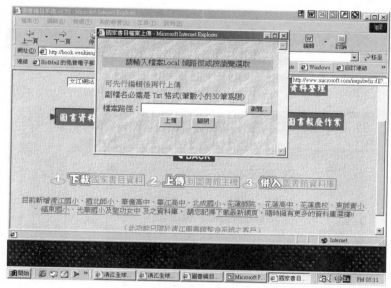

圖86　鍵入路徑

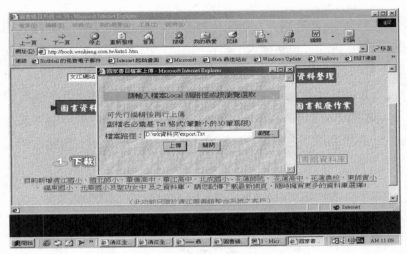

圖87　上傳資料到自己網站

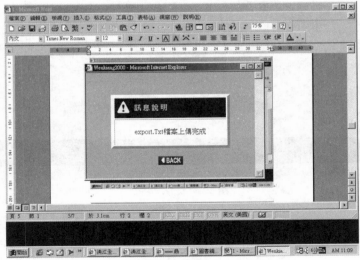

圖88　上傳成功

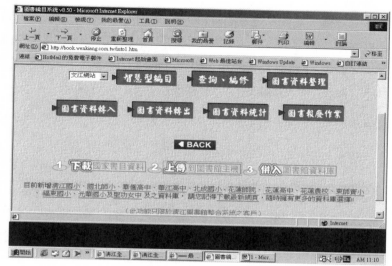

圖89　準備併入

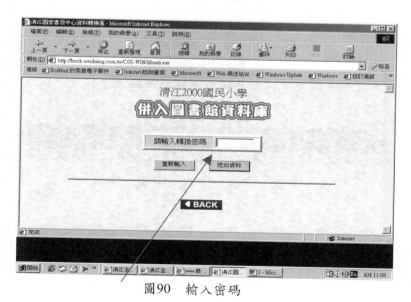

圖90　輸入密碼

及輸入登錄號，然後點選送出資料，檢視要併入資料是否正確，如正確就點選「執行併入」，然後出現的畫面，告知「轉入圖書資料數量」（圖92），經確認無誤後，點選「back」後進行「執行整理」工作。（圖93）併入後請執行「資料整理」工作。（圖94）

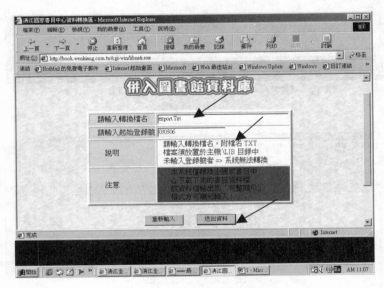

圖91　輸入檔名及登錄號

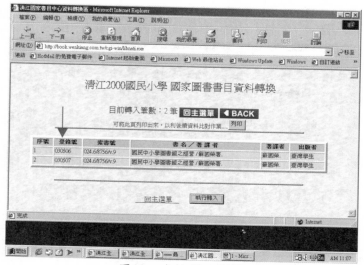

圖92　查檢併入資料

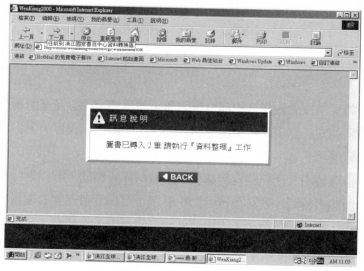

圖93　併入資料數量

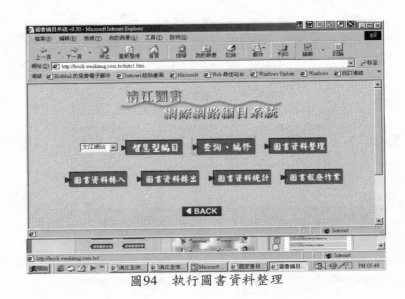

圖94　執行圖書資料整理

　　如果學校設施在上網部份有困難，尚可運用國立花蓮師範學院初教系與文江實業公司所提供的「國民小學圖書館書目」資料光碟片擷取使用。

　　這樣經由文江網路資料庫與國家資料庫資料的下載尚無法找到您想要的書目時，就必需自己動手編目了，倘若自己無力編目，也沒關係，因為數量微小，委由「外包」也不需多少經費了，一般國小一定可以承擔的

c.書標的書寫黏貼：

在編目工作中，「索書號」的產生必需由「圖書館主任」親自完成，所以，圖書館主任把已完成的索書號書寫在圖書的固定位置，指導小小圖書館員從圖書的固定位置抄錄索書號，並詳細說明書標的寫法（若用電腦處理，則可自動由列表機印出），以及黏貼在書本的固定位置，以期美觀。現在因為書目資料均自網站資料庫或光碟資料庫中下載，因此，只要指令下達，電腦系統就會印出，然後依指定位置黏貼即可。若要使書標黏貼整齊美觀，可用「卡紙」、「硬紙板」或「壓克麗」製成「L」形，以「直」這邊的「高度」為準，依此高度黏貼，則所有書標都一樣高，非常整齊美觀。

d.書後袋的書寫黏貼：

書後袋的書寫力求簡單，故僅錄「索書號」與「登錄號」即可（若已電腦化，則僅貼上到期單即可，書後袋及書後卡均可省略）。

e.書後卡的書寫：

如已電腦化者只要貼「到期單」即可省去書後卡與書後袋的製作，若人工處理則將「索書號」、「登錄號」、「書名」、「著者」等依格式填寫於書後卡，所餘空白處加印「借書日期」、「借閱者姓名」、「歸還日期」、「備註」等欄，以便作借還之登錄與統計依據，然後將卡插入書後袋即可。

f.中文電腦輸入：

國小四年級以上的小朋友對於「國語拼音」不致發生困難，而且認字亦較多，所以，用「注音符號法」輸入不會發生疑困，因此，若設計操作簡單，學習容易的程式，由學生輸入資料，「圖書館主任」僅作分類與檢查，完成後更可將資料與他館交換，一來可以加

速學校圖書館圖書資料的上架速度，教師與學生可以提早利用到寶貴的資料，更因資料的交換而提昇圖書館經營的素質，目前已有將近四百所學校採用，且部份亦開始上網交換資料使用，一則減輕圖書館主任的負擔，勻出更多的時間以作讀者服務之提昇。

3.出納手續

a.借書手續：

目前圖書館均採開架管理，所以借書的讀者自行進入書庫查看自己想借的書，找到之後將書帶到出納台，將書與借書證交給出納員以「光筆」劃過或「光罩」照一下「讀入」，蓋上到期日章即可（因書與借書證均貼有「條碼」）。如未電腦化時，將「書後袋」之「書後卡」取出，填上「日期」與「班級」和「姓名」，並在「借書證」上填寫「書名」或「登錄號」後，交出納員於「到期單」上蓋「到期日」章即可取書離去，出納員可將書後卡夾於借書證，依班級放置於本日借書之盒子，待今日工作將結束時整理統計，記於「日報表」上，借書手續即告完成。

b.還書手續：

書看畢，將書交出納員，出納員將書上條碼以光筆劃過「讀入」即可，若人手不足且下課時間借還書量過大時，也可將所還書暫時放置一旁，先處理借書部份，待上課鐘響後學生進教室上課時，再行處理還書手續。（倘未電腦化之處理還書手續，則於置借書證的盒子取出其借書證與書後卡，經核對無誤後，於借書證蓋上「還」或「已收」或其他符號，讀者即可取回借書證後離去，出納員則將書後卡插回書後袋準備歸架，若用電腦處理，因書與借書證均貼有條碼，所以讀者將書交給出納員即可），還

書手續即告完成。也可在圖書館外側明顯處置「還書口」或「還書箱」（圖95），讀者可隨時將欲還書籍投入「還書口」或「還書箱」，館員於每日上班開館前取出辦理歸還手續，讀者於館員下班後仍然可還書而不為上下班時間所限而耽誤還書時間。

圖95　還書口

c.統計工作：

為瞭解學生利用資料與資料被利用之情形，只有依靠統計數字的量化，個人借書量與某類資料被借量，均可作國小圖書館經營之指針，每日統計、每月統計與每學期統計都需進行（圖96），然因國小圖書館人力不支，難以進行，如採用電腦，各項統計因於採選、編目、出納等活動中已輸入所需數據，各種需要的統計報表均於程式設計中設定，只要給予適當的指令，即可由列表紙列印出來供使

用，準確而美觀。

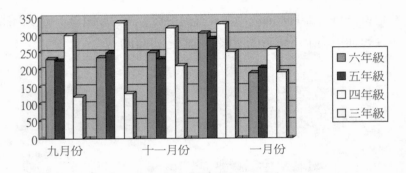

圖96　各年級借書統計圖

d.逾期催欠：

如到借書限期而讀者遺忘或故意拖欠，若用電腦處理，則由程式控制，逾期自動列印催欠通知單，書面通知借書人或直接 E-mail 給讀者，並於借書規則載明（印製於借書證），若三次逾期通知而未還者以遺失論處。未電腦化之圖書館則於每週特定一日中午由小小圖書館員持借書證與書後卡前往催還，如當時可還者即予辦理，若未帶來學校者，請其次日歸還。遺失者照價賠償，以爲「負責任」之教育，若不賠者，通知家長前來償還，並告知實情。

e.電腦檢索與輸入：

如圖書館電腦數足夠使用，可由線上檢索及辦理借還與催欠等手續，節省時間與人力。這樣可以節省印各種目錄卡片與排卡之時間與人力，且檢索速度又快，也節省讀者的時間，如能與他館連線，互通有無，間接的也擴充館藏，延伸讀者的視野，促進學習與研究，

一舉兩三得，何樂而不為。

f.電腦報表製作：

一切報表均交電腦處理，迅速、準確又美觀。

4.圖書維護

a.書架的整潔與讀架：

書架的整潔可每日擦拭一次，於共同的清掃時間進行，地面之清潔最好用吸塵器，以免塵土飛揚，沾污書籍，書架之擦拭宜用乾布或吸塵器，以免用水而損及書籍與書架之安全。在清掃之時可順便讀架，只要把不同類之資料歸類即可，因開架經營，難以完全精細順號，最好某些架由某人負責，取出他架之書，置於固定之某處，各人亦至該處取回自己架上所屬類別的書，這樣，以「責任分區制」進行不但效果很好，效率也奇佳，每次約五至十分鐘即可讀架完成且清潔完畢。

b.平裝書的修補：

書本之裝訂如為穿線而成者，其線脫斷而使書頁散落，所以可以用透明膠帶黏貼（請用品質較佳者如3m等），若封面受損，可用卡紙或較厚之紙張重新製作，寫上書名於封面及書脊，重新黏貼書標及護被。

c.精裝書的修補：

精裝之書籍最易毀損之處在於書之本身與封面容易脫離，小朋友使用時不一定能注意，亦有裝訂線被拉斷者，所以可以用較寬之透明膠帶黏貼。

d.剪輯與影印資料的整理和維護：

國小購置圖書之經費短缺，剪輯與影印資料便成爲蒐集支援教學資源的重要工作，因此，圖書教師主要的工作在於圈選資料與指導小朋友如何影印剪裁與黏貼，然後製卡分類（編號）儲存，運用起來就方便多了。

㈢訓練方法

經甄選之小朋友以不同班或不同年之同學兩人或三人爲一組予以編號，以作訓練完成之後編組輪值工作之準備，編組完成後實施基本編目訓練。

1.準備：

圖書館主任應備妥完整圖書館工作流程圖，分別製作powerpoint 圖解。（最好也將它置於圖書館網頁上，以便志工們可以複習與熟練）

2.研習：

召集全體學生志工到「電腦教室」參加研習，圖書館主任可用電腦教室的電腦廣播設備，以一人一機或兩人（一組）一機方式講解與實作，待志工們熟悉操作方法後進行實習。

3.實習：

以同組志工一起實習爲主，分別於不同時段進行實習運作，除操作方法熟練之外，應提供簡單「狀況處理」之練習，俾簡單狀況之具有自行處理能力，以提高服務品質。

4.正式運作：

依據實際參加志工人數分組輪班制，以每組一天一班次為原則，分別排班於各節休息時間（如附表），而中午之「午靜息」時間為全體志工集合於圖書館時間，作「讀架」、「分編」、「維護」等集體行動之工作。

至於尚未電腦化之國小圖書館，則須手工處理，其處理方式如下：

1. 每位志工均持圖書乙冊，該書之單元卡乙張，空白目錄卡片紙每人若干張，每人原子筆乙枝，全體同學就座且將各單元卡、空白目錄卡片紙、書、原子筆置於桌上，圖書教師可把編目過程事前製成投影片或拍成幻燈片或製妥 powerpoint，以利說明。

2. 實施：教師取出書本，指出書名，告知決定書名的位置，以書名頁為第一選擇，版權頁為第二選擇，封面是第三選擇，再者為書脊。因需製作目錄卡以便運作，首先一樣確定書名，說明應寫在卡片的位置與寫法，令學生照樣寫一張，寫畢書名即停筆，教師即巡視查檢正確與否，如發現錯誤時，宜請學生自行尋找錯誤之所在而更正，再查檢為佳，這樣自己可以發現錯誤之所在，確實更正，逐一款目均如法泡製，當然，以最簡單的先行學習，每一款目均書寫一次，且經檢視正確後，每人另發新書各一本，令學生試作，教師以不表任何意見為佳，待書寫完成提教師檢視，無誤則可繼續製作，開始量產，如發現錯誤時，亦以請學生自行尋找錯誤而更正為佳，

教師僅作最後之把關，待大家把編目手續純熟後，全體總動員，一般國小的圖書，約三至四個月即可完成編目上架，提供有效之服務。

3.正式作業：如人數有十六人以上時，以每人二至三項，實施線上作業方式，可收意想不到的效果，如第一人寫書名與著者，寫畢交第二人，第二人寫版次與出版項，寫畢交第三人，第三人寫稽核項，寫畢交第四人，餘類推，這樣，每人之工作量少，且易熟練而減少錯誤發生，若自己稍偷懶，則因前面的人已完成使自己堆積如山，且後面的人無事可做，心中必加慎戒，因此，人人兢兢業業，很快就可完成。

㈣工作分配：

全體小朋友中選一人任小小館長，負分配與指揮之責。工作則分每節下課的出納與每天中午的編目與維護工作。

1.編目與維護工作：

從卡片的製作，書標、書後袋與書後卡之製作和黏貼，目錄卡片的印製與排列，書籍媒體的排架以及維護，均以每人擔負一二小項為原則，如目錄製作以每人一至二款目，排架與維護每人也負責一至二架，書標、書後袋與書後卡之製作和黏貼則每人一項，分工精細，責任分明，也易熟練，自然工作效率高。

2. 出納工作：

出納以借還書為主，所以由二至三人為一組，輪班值勤，每組每天以不超過二次為原則，每節下課為借還書時間，輪值者必需到勤，如為二人一組，（兩人不得為同班同學，以免該班因故未能準時下課而耽誤服務工作）一人擔任借書另一人負責還書工作，若三人一組，則一人擔任借書兩人負責還書工作為宜，因還書工作稍繁雜些（圖5-39）。

節次＼星期	一	二	三	四	五
1	A	F	E	B	A
2	B	A	F	C	B
3	C	B	A	D	C
4	全體志工集合，集訓研習或整理工作				
5	D	C		E	D
6	E	D		F	E

圖97　輪班值勤表，A,B,C,D,E,F 分別表示各組，1,2,3,4,5,6分別表示各節下課時間。

㈤考核與獎勵

　　小朋友經過一番努力，有所成時，要適時的給予鼓勵，縱使只是口頭獎勉，對小朋友也是一項莫大的鼓勵，所以，隨時注意觀察，發現有所缺失，即時導正，以免誤導，較好之表現勿忘鼓勵，學期末宜在公開場合如休學式中予以表揚，以激勵工作意願，亦予一學期來辛勞的報償，更激起小朋友因服務能獲尊敬與獎勵而效法，達到生活與倫理的另一章。

C.社會志工

　　一般參與志工的動機，大部分是結交朋友、回饋社會、充實自我、了解社會現象、消磨時間、希望藉由服務他人滿足自我實現之成就感等，由於動機不同產生的效應亦有差別。

　　國民小學圖書館服務的志工，由於與一般志工在奉獻動機有很大不同，大部份的志工都有孩子或同事在這國小裡就讀或服務，藉著當志工來校服務可以照顧到自己的親人，甚至是自己的同學，藉由服務同學或協助老師，因而獲致成就感。同時，也藉著與人接觸，建立人際關係，使我們人緣更廣，獲得更多的資訊，擴張他的事業。退休人員的志工則可藉志工的服務打發時間，更重要的是因志工的工作讓他感到「他的光與熱」還能「照亮」與「溫暖」眾多的人，形成一股有「目標」的衝力，而視之為「第二春」的工作。

　　志工可以參與服務的時間長短與次數不一，依據他本身的家庭狀況與職場工作時間，還需視家居與學校的距離等，同時，因國小圖書館本身就缺圖書資訊的專業人員，因此能募得這項專業人員就

更難了。

　　因此，招募之初，我們需要先瞭解館內需求，確定那些工作可以給志工做、需要那種條件的志工、人數多少？要用推薦方式還是張貼海報或印製簡章等公開招募？內部作業時還需提列出甄選之標準、任用期限、訓練、管理與考核辦法。

　　對於組織志工幹部協助推動館務、缺勤管理、身心輔導、獎勵方式、福利辦法、成效評估等，也都必須詳加考慮週全並訴諸文字，並定期檢討。

　　適切的訓練，不但可增進志工專業知能和對工作的認同感，更可增進服務工作的品質，它是達成機構目標與個人成長的有效方法。譬如新的學習，具備這類技巧當必須靠長期的訓練，累積經驗才有辦法擁有；而實務工作之執行有賴專業知識的基礎，不但可以避免錯誤發生，亦可節省處理方法上嘗試錯誤（try and error）的重複出現，當然也就有助於效率的提昇，對於志工而言，此類專業知識的獲得只有靠訓練一途，才能奏功。

　　如何開始籌劃圖書館志工訓練呢？

㈠規劃時需要思考的問題，先行列出，如：

　　1.「那些事」可以讓志工來做？

　　2.需要什麼樣的志工來做？

　　3.何時做？在那裏做？

　　4.什麼情形之下請他們做？

　　5.怎麼做？

　　6.做到什麼程度？

(二)招募

當確定「那些事」需要且可以由「志工」來做後，就可以確定「志工人數」，進行招募工作。校內「學生志工」可透過級任導師「薦送」，校外之「愛心家長」或「退休同仁」以分發「招募啓事」之宣傳單，分送各班由學生帶回家或郵寄退休同仁。至於這些志工們前來報名時，我們可分類登記，以便訓練與分配工作。

學生志工不論人數或出勤率均較穩定，退休志工次之，而愛心志工則較不穩，所以宜分別分組。當人員招募到館，我們首先要與以訓練：

　　1.急待解決的難題是什麼？（或應該舉辦什麼訓練？）

　　2.適切的訓練方案應該是怎樣？

　　3.預期的訓練成果是什麼？（態度、知識、技能）與實際業務或個人成長有關？

(三)訂定訓練目標：

經過問題的澄清，確定了機構與志工的需求之後，即是訂定目標。合理的訓練目標可以指導課程主題、內容、訓練方式、訓練時間的擬定，也是未來執行訓練的依據，以及訓練成果的評量基礎，同時讓受訓者瞭解未來應該努力的方向和該投入的心力。目標是界定最後的結果，而非實施的過程。確立完成的時間、完成的事項，但並不涉及「做的原因」或「怎麼做」的因素，故在訂定訓練目標時，其內容應該與下列幾個問題有關：

　　1.那些區域應舉辦訓練？那些人應該受訓？

2.何時舉行訓練？訓練期間多久？

3.訓練主題與內容應涵蓋那些？

4.訓練的預期成果爲何？如：

⑴受訓後，志工可獲得那些專業知識或相關的服務常識？其質量達到那種水準？

⑵受訓後，志工可學到那些工作技能（助人技巧）？其熟練程度應到何種程度？

⑶受訓後，志工能擁有、修正或改變那些觀念和態度？

至於訓練日期的選定因受訓對象的背景而有差異，不過有如下的原則可供依循：

1.退休人員或家庭主婦，訓練日期儘量不排在例假日，最好安排在平常日舉行或週一至週五的晚上舉行。

2.學生，週一至週五因學校課業的影響，多無暇參加，故星期例假日是最佳的訓練時段。寒暑假可排集訓。

3.上班族群，安排在週一至週六晚上或星期例假日舉行皆適宜，但次數不能太多。

職前訓練：

提供志工開始工作所應具備最基本的常識與技能，其目的是讓志工儘快進入狀況、適應環境，並能獲得參與後的成就感。其內容應該包含機構的介紹、發展歷史與使命、志工的態度與修養、角色與任務等。方式是課堂講授及現場參觀、見習，或閱讀簡介資料、觀看影片或利用媒體資訊。

此種訓練可分二階段：

第一階段的內容完全以勤務爲主，第二階段則安排機構的介

紹、發展和使命、志工的精神裝備、態度與信念。國立自然科學博物館即是將職前訓練分成二階段，期間間隔二個月，作為試用期，經考核合格者通知參加進階職前訓練，此設計對通過試用期的志工無異是種肯定，增加志工繼續努力的信心。

自我訓練：

在第一階段職前訓練之後的二個月，是為新進志工的適應期，故可用書面資料讓志工研讀或自行蒐集資訊充實（含視聽媒體的利用），以增進對機構的瞭解，如科博館擬訂「導覽志工自我訓練要點提示」，引導志工對各展示區的展示宗旨、展示主題及細項展示內容加以熟悉，是為自我訓練。非導覽志工也有自我訓練要點提示供作參考、指導大家在見習試用階段能更深入的瞭解科博館的歷史發展、功能、各項活動舉辦情形，以及個人工作應注意的事項與該充實的知能，自我充實以備進階訓練時能獲得更好的學習效果。

勤前說明：

如有特別活動需要志工支援時，另舉辦該次任務的勤前說明，讓志工熟悉工作步驟、聯繫人員及活動全程應注意事項。其方式應配合實務的演練，以熟悉工作、人員、器材之定位和全部活動的流程掌握。

在職訓練：

可有很多方式如專題訓練或講座、動手做研習、現場實務演練、成長課程、工作檢討等。其目的就是讓志工獲得工作上必須具備的知識、練習技巧或改變態度與觀念。而且有時是為配合成人教育、終身學習的理念，讓機構內的志工有很多成長的機會，學習圖書館範疇內的知識，長遠而言，亦有儲訓人力資源以應未來發展的經濟

效益。至於訓練之內容則因每一機構的志工功能不一，難能一致，視其需要加強專業訓練。惟在過程中義工應能自我察覺到以下的成長。❽

(1)具備勤務執行的基本知能與服務別人的態度。

(2)知道尋求正確而快速的支援，並知道確切的資源所在(人、地、物)。

(3)愈來愈不用他人協助而能自我判斷、從事適切的服務行為。

(4)對工作有關的知識和技能，逐步擴展。

(5)在工作或隨時交付的任務方面有創新的觀念和作法(但付之行動前須徵求工作人員的認同)。

(6)對於機構或服務的對象逐漸有正確而健康的態度。

(7)與服務對象接觸時，逐步發展出接納與彈性的行為模式。

(8)對於圖書館的工作領域發展出廣泛的興趣與追求成長的學習行為。

(四)訓練與工作評鑑

訓練的主題與內容已在訓練類型一節中大略述及，其實它受志工的工作區域和工作內容影響很大，惟基本上仍是有關服務時的知識、技能、態度和價值信念等範疇。雖然規劃時應考慮志工個人成長的需求，但囿於機構資源的有效利用，訓練的內容仍大多以「勤

---

❽　Anne K. Stenzel and Helen M. Feeney，Volunteer Training and Development : a Manual，（New York : The Seabury Press，1976），p.27.

務」爲中心。還有一項値得重視的因素是成人的學習特性，一般成人的學習與兒童不同，如依成人教育學者 Knowles（1980）之意見，認爲成人教育概念係基於四個假設❾：

1. 自我導向的自我概念，使得成人可以對自己的學習負責，了解自己的學習需求，也能自我釐訂自己的學習計劃。
2. 成人在成長過程中所累積的經驗，是學習的起點，也是學習的資源。
3. 成人教育活動應配合其社會角色的需求，並在相同需求的同質團體中學習較有效果。
4. 成人的學習取向是以立即應用，以問題爲中心的學習模式，教育是爲增進解決當前問題的能力，而不像兒童的學習。

當志工經受訓分配到工作崗位一段時間，或已工作多年，爲瞭解其各工作崗位的個別狀況，我們宜瞭解下列事宜：

1. 目前志工做什麼事？
2. 那一位志工在做？
3. 工作勝任的情形？
4. 工作的滿意度如何？
5. 已經具備的相關專業知識、技能有那些？
6. 是否需加強的方面有那些？
7. 配合圖書館目標與個人的成長有那些知識或技能可供發展？我們是否有能力配合？

---

❾ 鄧運林，「從成人教育學觀點談成人教學」，成人教育7，民81.05，頁48-56。

上列項目亦可作爲志工工作評鑑或工作調整的憑據。

　　由此可見，每次訓練的內容會因時間、對象及工作性質等因素而相異，甚至同一對象、同一工作，其訓練也不會永遠一成不變。

　　志工訓練已爲運用社會人力資源，發揮志工功能的必然措施，基本上，志工訓練是導引志工由未知到已知，由已知到能行的教育歷程，內容是全面性的而非僅爲勤務而設，是項支持性的技巧，不但機構可透過此一過程達成既定目標的貫徹和良好服務形象的建立，同時志工個人亦可獲得如下的成長❿：

　　1.知識：有關機構或服務工作的資訊，如機構的組織架構、使命功能、服務內容等。

　　2.技能：即服務的方法與技巧，如怎麼做、何時做的行爲反應模式。

　　3.態度：有關思想、價值觀念等，甚至含內在情緒反應等的轉變，是積極、正面的轉變。

　　易言之，這種環境生態是共生的，機構與個人彼此互利，其目的是求工作上日有精進，個人方面不斷成長，而服務對象也能受到滿意的接待。志工制度是項運用人力資源的大工程，其浩繁因機構規模、志工人數而有不同，如能有效運用必具正面的績效；但相對的需要投入訓練人力、物力，不斷以行動研究的方法評量一切方案的成果，修正、改進以建立無障礙的服務環境，使社會人力資源成爲圖書館發展永續利用的動能。目前，圖書館社會志工的來源以學生家長及退休公教人員爲主。這些志工只要經過短期訓練，就能發

---

❿　　鍾治同，志工義行有賴支援，內政部社會司，民78。

揮管理員以上的功能，對於沒有正式人員編制的國民小學圖書館來說，社會志工卻變成主要的工作夥伴，各校均能於招募足額志工之後實施三至五天的密集課程研習，施予基本的操作知能，分配排定工作內容與時間，嚴然正規職員似的按表排班操作，在工作進行期間，利用週三下午也實施在職訓練的進修課程，以提昇其專業知能，於是志工成長研習營也就應運而生。就客觀因素與環境的影響，社會志工的募集因城鄉差距懸殊很大，較貧窮的偏僻鄉間，因人口流失僅存老弱婦孺，自身謀生不易，招募志工接近不可能，因此，市區的學校，家長社經地位較高，且教育程度也較齊整，她們利用送小孩到校上學與接小孩放學的時間，每週抽出一兩個上午或下午提早到校接送小孩順便為學校提供一點服務，這是很好的方式，學校加以組織與培訓，解決了人力不足的窘境。

第五節　圖書館社團

如果各國小能於聯課活動中，成立圖書館社團，吸收對圖書資料有興趣的小朋友，給予適當的指導，藉以啓迪其運用資料的能力，並培養其閱讀能力與興趣，同時還可協助圖書館業務之推展，不論對同學或學校均為一舉兩三得之舉。

凡校內同學均具參加資格，正式申請加入後，給予下列訓練：㈠書碼（索書號）的認識；㈡各種目錄的認識；㈢館內資料的排架；㈣目錄的寫法；㈤目錄卡片的排列；㈥出納手續；㈦圖書修補；㈧各種參考書的認識與利用；㈨剪輯資料的蒐集與製作；㈩摘取大意與心得寫作。

　　經上列學習之後，可以視為「小小圖書館員」，協助館務工作之進行，使從工作中學習各種辦事能力與方法，如出納工作、目錄卡片之抄寫、書標、書後袋、書後卡之書寫與黏貼，讀架與書架之整潔，編目資料之下載登入等，均可委由小小圖書館員來處理，而圖書館主任因小小圖書館員的協助，可以彌補因「無編制人員」的困境，又可節省許多寶貴的時間，從事讀者服務的工作，提供最好的服務。

第六章 結 論

第一節 結 論

　　我們知道，過去一般中小學校舍建築均委由普通建築師設計建築，其中大部份從未設計過圖書館，對圖書館的功能需求缺乏全面的認識，對圖書館的作業流程一無所知，易受傳統經驗與習慣影響，若學校行政人員對圖書館學的認知欠缺時，更將他館失敗的經驗搬上湊數，影響至巨。

　　國民小學的成員由年幼的小朋友、教師、家長與社區民眾所組成，其中佔絕對多數的是幼小的「小朋友」，所以在整個校園規劃時就需要格外慎重，尤其是圖書館的設計規劃，我們在此呼籲：

一、位置的選擇：

　　圖書館是每位師生必達的場所，最好選在全校的輪輻樞紐中心，師生由校內各處都可等距到達，方便師生利用。若置於偏角僻壤，找尋不易，則將降低師生使用意願，甚至學生無法發現它的存在，又怎能利用呢？所以，位置必須明顯而適中，以提高使用機率。

二、典藏、閱覽、流通、管理合一的大空間設計：

我們知道，國民小學最缺的是人力資源，所以就需要運用「空間規劃」來克服這一瓶頸，因此規劃設計之初就以「大空間」設計來因應，再配合「矮書架」的傢俱設計來達到使用、管理合一的效果，所以，規劃設計時對於「施工法」的選擇宜慎重，「大空間」設計可以隨館藏增減調整閱讀空間，甚至為舉辦圖書館活動而改變資料之排列，對這些稚齡小讀者來說是「新奇」與「驚奇」，是莫大的吸引力。

三、傢俱與設備的規劃：

依據各校經費預算的寬裕程度，先以兒童生理成長狀況為依據，再以心理發展為衡量，配合著教育目標，在有限的預算內，提供最適切的服務，所以，非且要特別注意高度與材質的安全度，其顏色與形狀都要考慮，如動物型、卡通型、沙發型、彩繪裝飾……等等，主要目的是營造舒適、溫馨的環境，讓小讀者喜歡、樂意到這裡來。我們更要提供安全舒適且具有教育意義的場所，對於各種使用器材本身的安全注意外，其使用方法也要用淺顯的文字詳加標示說明，教導小讀者安全使用，也節省人力的支出。

四、明確的指標導引系統：

指標系統是明確告知讀者空間的所在，讓讀者用最短的時間可以到達所要到的地方，以及用最快速的方法可以獲得他想要的資料與資訊，所以，指標的良莠直接影響讀者心情，同一等級的空間使

用相同大小的指標，同一性質的資料使用相同顏色的指標，讓讀者一目了然，爲了吸引小朋友也可以使用動物圖形的指標，如小象、小白兔、長頸鹿等等爲底圖或指標的外形，讓小朋友更具親切感。

五、適合心理年齡與配合時代的館藏設計：

由於主要的讀者群大多數是學科知識淺薄、生活及社會經驗不足、判斷能力薄弱的稚齡幼童，因此，館藏的規劃就特別重要了。

國小圖書館的館藏依形式可分印刷、立體、電子三大類，印刷資料包括傳統的紙質印刷資料與微縮影資料；立體資料指的就是教學媒體（俗稱教具）與玩具等資料；電子資料爲近些年新興的電腦與網路資料，也包含資料庫、電子書等數位化資料。

在規劃這些資料時，必須依照兒童之心理發展以及當地社會道德規範來擬定計畫，依循教育目標提供有益於學習的館藏，期使「每一讀者有他的書，每一本書也有它的讀者」，所有的讀物都能協助小讀者快樂的成長與輕鬆的學習。

六、無障礙空間規劃：

憲法保障人人都有受教權，不論硬體或軟體規劃時都應考慮部份弱勢團體的使用權，因此，圖書館通道、樓梯、衛生設備、燈具開關、閱覽桌椅以及各種軟體設施，都宜爲視障、聽障以及肢障之讀者設計規劃，否則，他將無法使用這寶貴的設施與資料。

第二節　建　議

　　國民小學的師資培育機構——師範學院，以往對於校園規劃未能重視，因此，沒有是項課程，訓練出來的這批師資就沒有校園規劃的觀念與知能，若兼總務工作，甚至當了校長，還是找到了預算再找地方蓋教室，蓋好教室才分配使用，根本就談不上規劃這件事了。

　　國民小學圖書館館舍的建築規劃是國民小學校舍建築規劃的一部份，過去師資培育機構非但沒有校園規劃與建築課程❶，有關圖書館學課程也是近年才陸續開始設置❷，因此，我們提出如下幾點建議：

一、師資培育機構應設置「校園規劃與建築」課程：

　　提供有志校園規劃者選修，讓每一位從事學校教育工作者都有「校園規劃與建築」的觀念與認知，進而將圖書館之建築規劃亦置課程內，俾來日執教時有正確之觀念。

二、師資培育機構廣設「小學圖書館學」課程：

----

❶　目前花蓮師院初等教育學系有校園規劃與建築課程供學生選修。

❷　「小學圖書館學」課程首先由花蓮師院初等教育學系開始設置，自民國七十八年起定為必修，隨後台中師院、屏東師院、台東師院（台東大學前身）、嘉義師院（嘉義大學前身）、台南師院、新竹師院、台北市師院、國立台北師院等相繼開設，圖書館規劃與建築雖未單獨設課，但在小學圖書館學中已有包含，起碼已有部份規劃觀念。

　　小學圖書館不僅要有妥善之館舍規劃與建築，經營管理之營運，舉凡「選擇與採訪」、「分類與編目」、「流通與參考」、「期刊資料與視聽器材之管理與服務」、「圖書館活動之設計與實施」、「圖書館利用教育」、「網路資源檢索」❸……等等都是需要了解，同時對於「館藏規劃」、「營運規劃」才能有正確之觀念與實際執行之能力。

三、師資進修機構廣設「小學圖書館學」研習：

　　教改的實施，九年一貫的推展，要教育孩子帶著跑的能力，因而「啓發教育」成爲今日教學的主軸，圖書資訊教育更是學生學習的主要「動力」，所以，圖書館的地位日見升高。

　　對於已經在職之國小教師而言，因爲過去師資養成教育時期未曾接受「小學圖書館學」課程而缺乏是項知能，如今要承擔這項教學與行政職務，必須以「在職訓練」的方式提供學習進修，以增進他們的專業能力，所以，不論台北市教師研習中心、高雄市教師研習中心或三峽的國民教育學院以及各師院進修推廣部都應積極辦理這項研習課程，提供教師進修機會。

---

❸　「選擇與採訪」、「分類與編目」、「流通與參考」、「期刊資料與視聽器材之管理與服務」、「圖書館活動之設計與實施」、「圖書館利用教育」、「網路資源檢索」這些相關課程僅花蓮師院初教系提供該系同學選修，目前選修同學異常踴躍，已各開兩班爲同學授課，其他師院或國小師資教育學程等師資培育機構甚少開授這些課程。

四、中國圖書館學會提供圖書館學方面較專精研習課程：

中國圖書館學會是國內最具權威的圖書館學術團體，對圖書館事業各項業務之推展不遺餘力，每年均運用寒暑假舉辦各種圖書館專業研習❹，提供圖書館工作者在職訓練的專業能力提升機會，對圖書館事業之推展貢獻頗鉅，因此，有志於圖書館教育的國小教師也可以利用這一優良的專業師資與教學環境，充實自己的圖書館學知能，以利圖書館教育的推展與國小圖書館的正常營運。

五、國小圖書館組織應予健全化：

「國民小學圖書館設立及營運基準」已在民國九十一年十月三十日經教育部正式公布，並於同年十一月一日生效。雖有專家學者的努力與重視，而超過二十五班的學校近八百所，都如同大專學校和高中一樣應設「圖書館主任」，以提升位階為直屬校長之「一級單位」，迄今已近二年，各縣市政府教育局均以「經費困難」為由搪塞，而國民小學圖書館主任因此尚未誕生，在制定「國民小學圖書館設立及營運基準」過程中已經與教育行政機構溝通，每位國民

---

❹ 中國圖書館學會歷年暑假都會開授「圖書館參考服務專題研習班」、「圖書館經營基礎研習班」、「電子圖書館與資訊檢索專題研習班」、「圖書館視聽資料管理專題研習班」、「圖書館管理科學專題研習班」、「圖書館館藏發展專題研習班」、「圖書館與電腦網路應用專題研習班」、「主題分析與基讀格式專題研習班」、「圖書館與終生學習研習班」等等，提供專業與非專業館員在職進修之需，以提升館員素質，進而精緻的讀者服務。

小學圖書館主任設置所增加的預算（主任加給之津貼）每人每年僅新台幣六萬元不到，依據教育部統計處的公佈❺之各縣市國民小學班

---

❺ 25班以上設圖書館主任一人各縣市所需預算（詳表列粗體字）

各縣市國小班級數及主任年支預算分配表

縣市別＼班級數	1-24	25-36	37-48	49-60	60班以上	合計	25班以上	預算數（萬元）
台中市	8	6	15	13	15	57	**49**	**294.00**
台中縣	80	25	23	13	13	154	**74**	**444.00**
台北市	35	29	38	16	35	153	**118**	**708.00**
台北縣	85	14	11	25	69	204	**119**	**714.00**
台東縣	87	4	1	0	0	92	**5**	**30.00**
台南市	14	6	6	5	13	44	**30**	**180.00**
台南縣	136	12	11	8	6	173	**37**	**222.00**
宜蘭縣	55	9	4	3	3	74	**19**	**114.00**
花蓮縣	99	6	1	2	0	108	**9**	**54.00**
金門縣	18	0	1	0	0	19	**1**	**6.00**
南投縣	136	8	3	3	1	151	**15**	**90.00**
屏東縣	145	15	8	3	2	173	**28**	**168.00**
苗栗縣	98	10	3	4	1	116	**18**	**108.00**
桃園縣	86	23	22	19	19	169	**83**	**498.00**
高雄市	17	22	13	10	24	86	**69**	**414.00**
高雄縣	103	25	11	5	8	152	**49**	**294.00**
基隆市	23	8	5	5	1	42	**19**	**114.00**
連江縣	8	0	0	0	0	8	**0**	**0.00**
雲林縣	138	10	5	3	0	156	**18**	**108.00**
新竹市	8	7	5	4	4	28	**20**	**120.00**

級數查知，各縣市教育局所需預算僅數萬元至百餘萬元之數，以數億經費之預算勻支數萬元絕非難事，因此，我們呼籲教育行政單位重視圖書館事業，而強力支持「國民小學圖書館設立及營運基準」之實施，而設置「國民小學圖書館主任」以健全「國民小學圖書館之組織」而發揮其應有之功能。

倘「國民小學圖書館主任」如能依據「國民小學圖書館設立及營運基準」設置，則一組織為國小直屬校長之一級單位，所以必須向校長提出工作計畫，列入追蹤考核，並定期提出施行成果報告，所以，國小圖書館在有計畫的執行與追蹤考核下，必能正常發展，同時「圖書館主任」是一級主管，所以必須參加主管會報及行政會議，有任何計畫或工作推展之瓶頸均可直接提出會議請求處理，因此，「國民小學圖書館主任」的設置對圖書館教育有其積極的意義。

第三節　展　望

建築不但是一項「藝術品」，更是提供更好生活空間的「環境」，

新竹縣	61	6	7	3	2	79	**18**	**108.00**
嘉義市	2	4	6	4	2	18	**16**	**96.00**
嘉義縣	121	8	4	2	0	135	**14**	**84.00**
彰化縣	128	23	9	1	11	172	**44**	**264.00**
澎湖縣	38	3	0	0	0	41	**3**	**18.00**
合計	1729	283	212	151	229	2604	**875**	**5250.00**
百分比	66.4%	10.9%	8.1%	5.8%	8.8%			

表列班級數依據教育部統計處90.07.19.公佈統計數

楊美華教授在1999海峽兩岸圖書館建築研討會中說：「圖書館設計，不只設計一棟圖書館的建築物，而是設計一套圖書館的『運作』」。❻所以，一座建築物必需在「合適」的時間與空間，更要適合目的的需求而選擇施工所需材料與施工法。因此，為了達成「管理者」與「使用者」雙贏的目標，我們不能過度沿襲傳統成形的習慣方式而無規劃的進行，過去傳統習慣僅依賴個人以天才式的進行，一人獨斷獨行。我們知道，圖書館的建築，必需有建築專業與圖書館專業合作方能成為合適的圖書館，而國民小學圖書館又別於一般圖書館，它是教師教學與學生學習的資源中心，因此，國民小學圖書館的規劃與建築除了必需有建築專業與圖書館專業合作之外，還必需教育專業的加入，這僅由管理運作方面來著筆，若有「讀者」提供「使用上」的需求，可達於更為完美的境界。

圖書館在使用功能上必需滿足「利用」與「管理」，更需注意「安全」，也需要滿足使用者與管理者的「心理」需求，所以一定要為讀者、館員規劃「親切」、「愉快」、「舒適」的環境。所以，圖書館在建築規劃時對於「位置」的選擇，「造型」、「外觀」、「顏色」、「建材」的斟酌，內外環境的規劃處理，在在都有牽一髮而動全身之處。

現代科技昌明，各種傳播技術之發展一日千萬里，班班有電腦，人人能上網的時代到臨，徜徉教室，坐臥家中，資料顯現眼前，讀

---

❻　楊美華，「大學圖書館建築的規劃——中正大學的經驗」，1999海峽兩岸圖書館建築研討會論文集，台北縣淡水，教育資料與圖書館學季刊，1999.04.，頁121-131。

者前往圖書館查詢資料的意願日形減低，如何規劃令人嚮往且具吸引力的圖書館是當今重要課題。一座理想的圖書館，建築師首先要充分瞭解這座圖書館的功能，不能憑藉個人過去的經驗與構想，而需虛心聽取館員和圖書館專業們的理念、設想與工作需求，不斷的相互討論，學校相關行政人員亦以使用者提供必要資訊，以期規劃最為完美且效能卓著的圖書館，提供最優質的服務。

參考文獻

1. 中國圖書館學會，圖書館事業發展白皮書小組研訂，<u>圖書館事業發展白皮書</u>，（台北，中國圖書館學會，民89.04，頁8）

2. 內政部63.2.15頒佈64.6.5.修正之建築技術規則。

3. 林　勇，<u>兒童圖書館家具及設備之研究</u>，（台北市，中國工業職業教育學會，民79）

4. 林勤敏撰，學校建築的理論基礎，台北市，五南，民75，頁220

5. 教育部89.9.30台（89）國字第89122368號令公布，<u>國民中小學九年一貫課程暫行綱要</u>，教育部印製，頁7-8，民90

6. 劉德勝，<u>八十五年文化機構義工幹部研習會成果報告</u>，民85年1月

7. 劉德勝，<u>八十三年文化機構義工博物館導覽研習會成果報告</u>，民83年1月

8. 蔡保田著，<u>學校建築的理論基礎</u>，台北市，五南，民75，頁194

9. 蘇國榮著，<u>國民中小學圖書館之經營</u>，台北市，台灣學生書局，民80，頁55

10. John E.Burchart etal.，Planning the University Library Building，（ALA，1949）　p.63

期刊

1. 王紀鯤，「學校圖書館規劃與設計」， 教師天地， 63，頁28-33，民82.04

2. 王國嵩，「臺灣證券集中保管公司圖書館規劃研究」，圖書館學刊 （輔大），20，頁32-36，民80.06

3. 易明克，「圖書館內部規劃與細部設計經驗談」，台北市立圖書館館訊6：2，頁27，民77.12

4. 林文睿，「公元二○○○年國立臺灣圖書館規劃之新展望」，國立中央圖書館臺灣分館館刊，2：2，頁1-26，民84.12

5. 林文睿，「高中圖書館規劃與設計」，高中圖書館，16，頁8-11，民85.09

6. 林文睿，「國立臺灣圖書館規劃特色」， 圖書館學與資訊科學，22：2，民85.10，頁53-72

7. 林佩瑜，「高中圖書館規劃與經營」，高中圖書館，16，頁67-68，民85.09

8. 施世昌，劉廣亮，「小學圖書館規劃：樹林國小實習淺談」，圖書館學 ，21，民81.06

9. 范承源，「美國圖書館整體發展的探討」，歐美研究，27：4，頁1-20，民86.12

10. 范豪英，「圖書館工作人員空間之探討──建築規劃中易被輕忽的空間」， 書苑，44，民89.04，頁16-24

11. 曹麗珍、胡思聰，「國民小學圖書館環境管理」，台北市立師範學院國小圖書館學術研討會論文集，（台北市，台北市立師院，

民85）頁1-19

12.張慶仁，「淺談圖書館的色彩設計問題」，<u>書府</u>，No8，頁79-85，民76.06

13.張慶仁，「邁向圖書館建築的環境設計」，<u>書府</u>，No10，頁95-108，民78.06

14.張樹三，「論小學圖書館行政」，<u>書藝</u>，28，頁14，民80.09

15.陳格理，「圖書館的建築規劃問題」，<u>中國圖書館學會會報</u>，54，頁75-90，民84.06

16.陳格理，「圖書館建築與用後評估研究」，<u>大學圖書館</u>，1：4頁17-30，民86.10

17.楊美華，「大學圖書館建築規劃的省思」，<u>書苑</u>，44，頁1-15，民89.04

18.楊美華，「大學圖書館建築的規劃——中正大學的經驗」，<u>1999海峽兩岸圖書館建築研討會論文集</u>，台北縣淡水，<u>教育資料與圖書館學季刊</u>，1999.04.，頁121-131

19.資訊諜報，「北市立圖書館規劃實例——圖書館如何邁向自動化」，<u>資訊諜報</u>，6，頁28-41，民81.03

20.劉朱勝，「外包工作的執行計畫」，<u>圖書與資訊學刊</u>，30，頁68-81，民88.08

21.劉貞孜，「1925年及1945年美國小學圖書館標準的演進與評析」，<u>國立臺北師院圖書館館訊</u>，3，頁11-20，民84.02

22.劉德勝，「國立自然科學博物館的義工制度」，<u>博物館學季刊</u>，4卷1期，民79.01

23.鄧運林，「從成人教育學觀點談成人教學」，<u>成人教育雜誌雙月</u>

刊，2期，民81

24.蔣篤蒂，「圖書館學系圖書室之規劃」，<u>書府</u>，5，頁21-25，民73.06

25.蔡佳蓉，「從館員觀點談圖書館建築在規劃及設計階段的幾項問題」，<u>大學圖書館</u>，1：4，頁52-70，民86.10

26.鍾治同，「志工義行有賴支援」，內政部社會司，民78

27.盧秀菊，「公共圖書館規劃之回顧與前瞻」，<u>臺北市立圖書館館訊</u>，10：2，頁5-10，民81.12

28.盧秀菊，「圖書館之策略規劃」，<u>資訊傳播與圖書館學</u>，2：2，頁29-47，民84.12

29.盧秀菊，「圖書館規劃」，<u>教育資料與圖書館學</u>，33：2，頁178-208，民84.12

30.盧秀菊，「圖書館策略規劃之研究」<u>圖書館學刊</u>（台大），No5 頁67-97，民76.11

31.謝寶煖，「圖書館自動化對圖書館建築的影響」，<u>書府</u>，No9，頁85-89，民76.06

32.蘇國榮，「台北市國民教育輔導團國小圖書館輔導小組簡介」，<u>中國圖書館學會會報</u>第36期，頁21-27，民73.12.

33.蘇國榮，「論國民小學圖書館建築的規劃與設計」，<u>國教園地</u>，44，頁14-29，民82.01

34.釋見瓚，釋自曜，「談香光尼眾佛學院圖書館新館規劃」，<u>佛教圖書館館訊</u>，8，頁20-27，民85.12

附註：本論文附註及參考書目均採用中華民國國家標準 CNS「學術論文參考書目格式」著錄

附錄一 中文索引

十畫

附錄二　外文索引

附錄三　國民小學圖書館設立及營運基準

民國九十一年十月三十日經教育部正式公布，民國九十一年十一月一日生效

壹、總　則

一、本基準依圖書館法（以下簡稱本法）第五條規定訂定之。

二、本基準營運之目的爲規範國民小學圖書館設立及營運之基本要求，並促其健全發展。

三、本基準所稱國民小學圖書館，指以國民小學師生爲主要服務對象，提供教學及學習媒體資源，並實施圖書館利用教育之單位。

貳、設　立

四、公、私立國民小學應依本法第四條及相關法令規定設立國民小學圖書館。

參、組織人員

五、國民小學圖書館應設組長或幹事；班級數二十五班以上得設圖
　　書館主任一人，由具圖書資訊專業之教師兼任。組長、幹事至
　　少曾接受六週以上之圖書資訊專業訓練，每年並應接受六小時
　　以上之在職專業訓練。

六、國民小學圖書館設有主任者，得視業務需要分組辦事，各置組
　　長一人，各組得設幹事若干人。

七、國民小學應設圖書館委員會，由校長遴聘適當之教師、專家學
　　者及家長代表組織之，就圖書館業務之興革提供諮詢。

八、地方教育主管機關得於每一鄉鎮（市、區）擇一國民小學設置圖
　　書資源中心，以支援及協調轄區內各國小圖書資源、館際合作
　　與業務輔導工作。

肆、館藏發展

九、國民小學圖書館應配合學生之學習與教師之教學、研究、進修
　　等需求，訂定館藏發展計畫。

十、國民小學圖書館館藏包含圖書、期刊、報紙、視聽資料、電子
　　資源及各種教學媒體等。前項館藏，以購置、租用、贈與及交
　　換等方式為之。

十一、國民小學圖書館館藏基準為圖書資料六千種或每生四十種以
　　　上，期刊十五種以上，報紙三種以上。國民小學圖書館每年館

藏購置費至少應占教學設備費百分之十以上。

十二、國民小學圖書館應定期清點、淘汰破舊及不合時宜之館藏。

伍、館舍設備

十三、國民小學圖書館應依學校規模大小，以獨立建館、分層設區
　　　或專用教室設置圖書館爲原則。

十四、國民小學圖書館宜設置於適中地點，方便師生使用；如與社
　　　區共用，則以不影響學校教學活動爲原則。

十五、國民小學圖書館之館舍與設備，宜由圖書館委員會或學者專
　　　家依學校需求及社區特色規劃，力求實用、安全、美觀、易於
　　　維護。

十六、國民小學圖書館之設備，依國民中小學設備基準設置。

十七、國民小學圖書館空間配置，得視功能區分爲閱覽、參考、資
　　　訊檢索、期刊、視聽、書庫、教具、教學及工作等區。

十八、國民小學班級數二十四班以下之圖書館應設可容一個班級學
　　　生數之教學空間，二十五班以上得視學校規模大小及需求設置
　　　合理教學空間，以利圖書館利用教育之實施。

陸、營運管理

十九、國民小學圖書館營運應配合學校教育發展、支援教學、充實
　　　學生學習活動爲目的，以提供各類型媒體資源，成爲學習與教
　　　學資源中心。

二十、國民小學圖書館應提供閱讀、流通、參考諮詢及資訊檢索等服務，並協助課程發展。

二十一、國民小學附設幼稚園者，其館藏及服務應兼顧幼稚園師生之需求。

二十二、國民小學圖書館每週開放總時數以四十小時為原則，得視親師生及社區民眾需要調整開放時間，並得實施非上課日彈性開放。

二十三、國民小學圖書館為有效經營，得訂定圖書館服務及管理規章。

二十四、國民小學圖書館應擬訂中長程、年度計畫，定期檢討與改進。

二十五、國民小學圖書館為方便讀者查詢，促進館際合作及資源共享，其館藏之分類、編目、建檔、閱覽及檢索等，應依相關技術規範辦理。

二十六、國民小學圖書館應採用自動化系統作業，並利用電腦系統處理圖書資料及提供線上資訊檢索等；其自動化系統之建置，應因應未來之發展。

二十七、國民小學圖書館應結合社教機構、社區資源，充實圖書館服務。

二十八、國民小學圖書館得視業務需要招募志工，給予專業訓練，協助業務推展。

二十九、國民小學圖書館依本法第十七條之規定，應接受定期業務評鑑，提升服務品質。

柒、推廣與利用教育

三十、國民小學圖書館應結合親師生共同推行活潑多元之圖書館利用教育，教導讀者利用各種資源，培養資訊應用能力，擴大學習領域。

三十一、國民小學圖書館應實施圖書館利用教育，其內容為認識圖書館、使用工具書、運用網路資源、電子資料庫及培養閱讀能力等，以奠定終身學習之基礎。

三十二、國民小學圖書館應積極辦理各項推廣活動，如讀書會、班級書庫、故事時間、新書介紹、閱讀護照、駐校作家、藝文展覽、專題座談與講座等，以激發讀者使用圖書館之興趣與知能。

捌、附則

三十三、本基準得作為國民小學圖書館輔導及評鑑之依據。

三十四、公、私立幼稚園圖書館之設立及營運，準用本基準。

三十五、直轄市、縣（市）政府得視需要依本基準另定補充規定。

國家圖書館出版品預行編目資料

國民小學圖書館規劃與設計

蘇國榮著. – 初版. – 臺北市：臺灣學生，
2005[民 94]
面；公分
參考書目：面

ISBN 957-15-1239-7(平裝)

1. 學校圖書館 – 行政

024.6   93020641

國民小學圖書館規劃與設計　（全一冊）

著　作　者：蘇　　　　國　　　　榮
出　版　者：臺 灣 學 生 書 局 有 限 公 司
發　行　人：盧　　　　保　　　　宏
發　行　所：臺 灣 學 生 書 局 有 限 公 司
　　　　　　臺北市和平東路一段一九八號
　　　　　　郵 政 劃 撥 帳 號：00024668
　　　　　　電　話：(02)23634156
　　　　　　傳　眞：(02)23636334
　　　　　　E-mail：student.book@msa.hinet.net
　　　　　　http://www.studentbooks.com.tw

本書局登
記證字號　：行政院新聞局版北市業字第玖捌壹號

印　刷　所：長 欣 彩 色 印 刷 公 司
　　　　　　中和市永和路三六三巷四二號
　　　　　　電　話：(02)22268853

定價：平裝新臺幣二六〇元

西 元 二 〇 〇 五 年 一 月 初 版

臺灣 學七書局 出版

新圖書館學叢書